中華國學經典百部

精華本

止学

[隋] 文中子 著

王光波 评译

中国书店

图书在版编目（CIP）数据

止学 /（隋）文中子著；王光波评译 . —北京：中国书店，2023.10

（中华国学百部经典）

ISBN 978-7-5149-2963-8

Ⅰ . ①止… Ⅱ . ①文… ②王… Ⅲ . ①哲学理论－中国－隋代②《止学》－译文 Ⅳ . ① B241.1

中国版本图书馆 CIP 数据核字（2022）第 075132 号

止学

〔隋〕文中子 著　王光波 评译

责任编辑：武悦

出版发行：中国书店

地　　址：北京市西城区琉璃厂东街 115 号

邮　　编：100050

电　　话：（010）63171753（总编室）

（010）63017857（发行部）

印　　刷：三河市嘉科万达彩色印刷有限公司

开　　本：787mm × 1092mm　1/32

版　　次：2023 年 10 月第 1 版第 1 次印刷

字　　数：103 千

印　　张：6（全 300）

书　　号：ISBN 978-7-5149-2963-8

定　　价：1490.00 元（全 50 册）

前言

这是一本曾被湮没许久的书，是鲜为人知的古代优秀谋略书之一。它的作者是隋代大儒王通，号文中子，此人就是著名诗人、初唐四杰之一王勃的祖父，也是魏徵、李靖、徐世绩、房玄龄等人的恩师。

这本书的名字叫《止学》，曾国藩曾深爱着它，其一生的作为和成就，处处都烙有“止”的痕迹；李嘉诚更是将“知止”二字挂在办公室的醒目之处，身体力行地践行着它的要义；而魏徵等人对它的继承，更是开创了唐朝文化的新局面。

那么，什么是“止”？

“止”的思想古已有之，《道德经》《庄子》《论语》都有涉猎。墨子说：“知止，则日进无疆，反者，道之动。知足不辱，知止不殆。持盈保泰、长生久视之道。”其实，“止”就是不去做什么，就是在充满诱惑的社会中，保持一颗安定之心，做到适可而止，真正做到内心平静，才能拥有直面挑战的力量。

但是，王通是将《止学》作为一种专门学问的第一人，也是第一个集大成者。他在《止学》中，将我国传统文化中关于“止”的经典概念纳入寥寥字句中，告诉人们要想成功，就不能做什么：

真正智慧的人，不会过分显露自己，不会贪恋权位；只有耍小聪明的人，才不断谋划，用计谋来达成目的。

没有足够的智慧，就不要去谋大事，否则只有失败；有智慧的人不会使用权术，更不会夸耀拥有它。

不要给君子势力，不要给小人仁德。

如果不追求利益，就不能获得；如果不施舍仁德，就不能积累。

贤明的人出让功劳，那他的名望就会增高。利益大的容易伤害自身，利益小的却能给自己带来实惠，所以选择它们时应该慎重。

不善言辞才能隐藏真实的意思，话语说尽就会显露锋芒。

赞誉太多君主就会惊慌，名声太高的人会招来众人的嫉恨。

人生遇见挫折是正常的，命运一帆风顺则让人奇怪。把逆境化为顺境，有所不为才是关键。

君子不计较以前的恩怨，计较过往的恩怨会损害君子的品行。小人心有隙怨就一定要报复，这样却只能让他自己毁灭。

欲望是没有止境的，思想可以制伏他。疑惑是没有尽头的，践行就能解开它。

小的地方存有缺点，大的节操就可能被葬送掉。尊敬他人就要尊重他人的思想，这是提高品德的关键之处。

……

这些真知灼见，为长期被成败所困扰的人们打开了一个大门，让大家得以窥探出成功和失败的分水岭，其实就在于“止”与“不止”之间。当进则进，当止则止。一个“止”字，关系着一个人的荣辱成败；一部《止学》，则指明了人究竟“应该做什么”和“不应该做什么”。

《止学》虽然被埋没许久，但它的影响是深远的，探寻魏徵、李靖、曾国藩、李嘉诚等人的人生轨迹，可以发现“止”的观念一直贯穿于他们的一生之中，甚至是他们得以成功的重要保障。

曾国藩说：“《止学》乃人生行为之约束，忽略此学，智者必有一失。”

李嘉诚说：“知利之止，知欲之止，为知人生之成局！”

李景林说：“如何在进和止之间保持一个合理的张力和平衡，这是非常关键的。只有这样你才能自得。”

……

可见，对于《止学》所传播出来的思想，任何人都不应该忽视，特别是那些欲成大事者。

目 录

智卷一

1. 智极则愚也。圣人不患智寡，患德之有失焉。

【译文】

如果聪明到了极点就是愚蠢了。圣明的人不担心自己缺少智谋，却担心自己品德有缺失。

【智慧解读】

古称德才兼备的人为才子。德与才是有机的统一体，二者不可分割。但德才相比，更应注意德。因为一个能力非常强、智商非常高的人，如果品质败坏、野心很大，那他造成的社会危害就会非常大，甚至会达到祸国殃民的程度。

品德是才能的主人，才能是品德的奴仆，这个比喻是很独特的，却也十分恰当。一个人如果缺“德”，那么无论他有多渊博的知识、多强的能力、多高的水平，都不能称得上是一个完美的人。

明朝开国皇帝朱元璋虽然是文盲出身，妻子也并非名门闺秀，但孩子们都非常出色。这得益于朱元璋对孩子们的教育。元朝灭亡的教训让朱元璋更明白“为政以德，譬如北辰，居其所而众星共之”的道理，辛辛苦苦打来的江山岂能在自己百年之后就付诸东流？因此朱元璋非常重视对子女的教育，他认为，“德”既能补体，也可补智。他既重视教育孩子求知，更重视帮助他们“正心”，即品德教育。

一天，在大殿上，太子、诸王静候一旁，朱元璋严肃地训诫他们：“你们知道‘进德修业’的道理吗？古代的君子，德充于内，又表现于外，所以器识高明，善道日多，恶行邪僻都退避三舍。自己修道已成，必能服人，贤者集拢在你的周围，不肖者远避。能进德修业，则天下国家未有不治，不然就没有不失败的。”他勉励诸子德才俱进，为日后治理国家奠定基础。

为了使诸子达到“进德修业”的目的，朱元璋还亲自为孩子的老师们制定了关于孩子们的教育方针。他说：“好师傅要做出榜样来，因材施教，培养人才。我的孩子们是要治理国事的，诸功臣子弟也要当官管事。教的法子，最重要的是‘正心’，正了心，什么事都可办好；正不了心，各种私欲便乘虚而入，难以成事。你们须以实学教导，不要学一般文士，只是背诵辞章，毫无好处。”

根据这一方针，开国以后，朱元璋除在宫中建大本堂，收存古今图籍，聘请各地名儒，以儒家典籍教育诸子外，还精心挑选了一批有高尚德行的士人，充当太子宾客和太子谕德，对诸子进行严格、系统的封建“德行”教育，尤其注意发挥师保们的作用。基于“连抱之木，必以授良匠；万金之璧，不以付拙工”的思想，洪武元年（1368）立皇太子后，他便委命开国重臣李善长、徐达、常遇春等分别兼任太子少师、太子少傅和太子少保，让他们“以道德辅导太子”“规诲过失”，使太子有长足进步。特别是被称为“开国文臣之首”的宋濂，对太子的“德行”修养影响最大。

从朱元璋教育子女的事例中，我们可以看出他的主张：百学德先行，育教先育德。一个人如果想要学富五车，才高八斗，首先要把自己的德性修炼好。

道德，无疑是动人的。一个真正的高人，坚持操守，以道德文章行世，依托于博大、仁爱、坦荡无私、顺其自然等美好品性，文章才显得精美和谐。而那些空洞浮华的东西，不是心血所化，只是矫饰，历代文人都避而远之。谦虚待人，文采自然斐然；胸襟开阔，文章自然高逸。

道德能征服人，主要靠人格的力量。我们常说，德高望重，其实，“德高”不仅能“望重”，而且能“言重”，即增加讲道理的分量。从某种意义上说，德行是形象的体现，道德的滑坡是最危险的滑坡，人格的缺失是最可怕的缺失。

有位青年脾气很暴躁，还经常和别人打架，大家都不喜欢他。

有一天，这位青年无意中游荡到了大德寺，碰巧听到一位禅师在说法。他听完后发誓要痛改前非，于是对禅师说：“师父，我以后再也不跟人家打架了，免得人见人烦，就算是别人朝我脸上吐口水，我也只是忍耐地擦去，默默地承受！”

禅师听了青年的话，笑着说：“哎，何必呢？就让口水自己干了吧，何必擦掉呢？”

青年听后，有些惊讶，于是问禅师：“那怎么可能呢？为什么要这样忍受呢？”

禅师说：“这没有什么能不能忍受的，你就把它当作蚊虫之类停在脸上，不值得与它打架或者骂它，虽然被吐了口水，但并不是什么侮辱，就微笑地接受吧！”

青年又问：“如果对方不是吐口水，而是用拳头打过来，那可怎么办呢？”

禅师回答：“这不一样吗！不要太在意！只不过是一拳而已。”

青年听了，认为禅师实在是岂有此理，终于忍耐不住，忽然举起拳头，向禅师的头上打去，并问：“和尚，现在怎么办？”

禅师非常关切地说：“我的头硬得像石头，并没有什么感觉，但是你的手大概打痛了吧？”

青年愣在那里，实在无话可说。

禅师告诉青年的是忍耐的美德，并身体力行地进行了非暴力的演示。禅师通过言传身教，让青年知道了忍耐的伟大感召价值。

德的力量是无穷的，一个道德高尚的人不但能够成就自己不凡的人生，而且可以感化周围的人，使善的力量遍及人间。因此，每个人都要培养自己的品德，做道德的践行者，造福周围的人，否则才华在别人眼中也只不过是一种玩弄技艺的低级手段。

2. 才高非智，智者弗显也。位尊实危，智者不就也。大智知止，小智惟谋，智有穷而道无尽哉。

【译文】

才能出众算不上智慧，真正有智慧的人不会显露自己。尊贵的地位其实暗藏危险，所以有智慧的人不会贪恋权位。有大智慧的人都知道适可而止，只有小聪明的人才不停谋划。要知道，智计有用完的时候，而天道却没有尽头。

【智慧解读】

在现实生活中，自作聪明、爱卖弄的人到处都是，他们炫耀自己的才华和聪明，或者总是故意表现得与他人格格不入，这样的人，就算大家嘴上不说什么，心里却会对他竖起小拇指。

苏轼在《贺欧阳少师致仕启》中说：“而乃力辞于未及之年，退托以不能而止。大勇若怯，大智如愚。”有大勇，却装出怯懦的样子，聪敏，却装出很愚拙的样子，如此可以保全自己的人格，同时也可以不做随波逐流之事。守得“大愚”，急流勇退，方为明智之举。

金熙宗时期，石琚任邢台县令，时值官场腐败，贪污成风，只有石琚洁身自好，他还常告诫别人不要见利忘义。

石琚曾经规劝邢台守吏说：“一个人到了见利不见害的地步，他就要大祸临头了。你敛财无度，不计利害，你自以为计，在我看来却是愚蠢至极。回头是岸，我实不忍见到你东窗事发的那一天。”邢台守吏拒不认错，竟反咬一口，向朝廷上书诬陷他贪赃枉法。结果，邢台守吏终因贪污受到严惩，其他违法官吏也被一一治罪。石琚因清廉无私，虽多次受诬陷却平安无事。

石琚官职屡屡升迁，有人便私下向他讨教升官的秘诀，他说：“我不想升迁，凡事凭良心无私，这个人人都能做到，只是他们不屑做罢了。人们过分相信智慧之说，却轻视不用智慧的功效，这就是所谓的偏见吧。”

金世宗时，世宗任命石琚为参知政事，不料石琚百般推辞。金世宗十分惊异，私下对他说：“如此高位，人人朝思暮想，你却不思谢恩，这是何故？”

石琚以才德不堪作答，金世宗仍不改初衷。其亲朋好友力劝石琚道：“这是天下的喜事，只有傻子才会避之再三。你一生聪明过人，怎会这样愚钝呢？万一惹恼了皇上，我们家族都要受到牵连，天下人更会笑你不识好歹。”石琚长叹说：“俗话说，身不由己，看来我是不能坚持己见了。”

石琚无奈接受了朝廷的任命，私下却对妻子忧虑地说：“树大招风，位高多难，我是担心无妄之灾啊！”他的妻子不以为然，说道：“你不贪不占，正义无私，皇上又宠信于你，你还怕什么呢？”石琚苦笑道：“身处高位，便是众矢之的，无端被害者比比皆是，岂是有罪与无罪那么简单？再说皇上的宠信也是多变的，看不透这一点，就是不智啊！”

任太子少师之时，石琚曾奏请皇上让太子熟习政事，嫉恨他的人便就此事攻击他别有用心，想借此赢取太子的恩宠。金世宗听后十分生气，后来细心观察，才认定石琚不是这样的人。后来，金世宗把别人诬陷他的话对石琚说了，石琚所受的震撼十分强烈，他趁此坚辞太子少师之位，不敢再轻易进言。

大定十八年（1178），石琚升任右丞相，前来贺喜的人络绎不绝。石琚表面上虚与委蛇，私下却决心辞官归居。他开导不解的家人故旧说：“我一生勤勉，所幸得此高位，这都是皇上的恩典，心愿已足。人生在世，祸在当止不止，贪心恋权。”

他一次又一次地上书辞官，金世宗见挽留不住，便只好答应了他的请求。世人对此事议论纷纷，金世宗感叹说：“石琚大智若愚，这样的人才天下再无第二个了，凡夫俗子怎知他的心意呢？”

居高位者，最易败在志得意满上。相反，时刻思危、思退，以一颗出世心做入世的功劳，才是不败绝学。聪明的人，善于示弱，善于保留实力；而蠢材则爱出风头，让人一眼看清自己的底牌和斤两。木秀于林，风必摧之，这一点已经被历史无数次所证明。

山不宣扬自己的高度，并不影响它耸立云端；海不宣扬自己的深度，并不影响它容纳百川；地不宣扬自己的厚度，但没有谁能质疑它的博大。而拥有大智慧的人，从不宣扬自己的能耐，也没有任何人敢小觑他们的存在。李嘉诚曾说过：“保持低调，才能避免树大招风，才能避免成为别人进攻的靶子。”

面对着最高权力机构给予的非凡赏识、非凡之权，一般人会是受宠若惊，感恩戴德，曾国藩却是坚决不受。与其他人玩虚的“以退为进”游戏不同，曾国藩是真心退，诚恳退。因为太“掏心窝子”地替上面着想，他的“大退”也得到了“大进”。

咸丰十一年（1861），咸丰皇帝驾崩了。接替咸丰皇帝上台的，与其说是他六岁的儿子载淳，不如说是他的老婆慈禧太后。当然，当时与慈禧并驾的还有慈安太后与恭亲王奕䜣。两个女人，外加一个王爷，就像一个权力金三角，他们掌握着天下的生杀大权。只是，于乱世濒危王朝，他们的权与力其实都不稳。

且不说外国列强把炮火都对准了江山，当时，在大清南部，太平天国的问题还没有解决。曾国藩带着湘军还在与太平军浴血奋战。经过权力“金三角”的再三思量，又鉴于曾国藩没有“与大臣私通”的前科，他们决定继续倚重曾国藩。

为了收买下曾国藩这根擎天柱，也为了鼓励曾氏兄弟统领，使湘军尽早结束与太平军的这场持久仗，“金三角”集团颁发了一道圣谕，圣谕上给原本拥有很多官衔的曾国藩冠以更多官衔，同时赋予他更多的实权。总之，“金三角”的意思就是：整个东南战场、四个省份交由曾国藩全权负责。不夸张地说，此谕一下，曾国藩就相当于“半壁大清河山之主”。

身在前线的曾国藩收到这枚金色官帽，心里却没有丝毫喜悦，而是诚惶诚恐。正如曾国藩在上书中所讲的：第一，自己能力不足，难以胜任；第二，自己身为臣子，无论是出于工作职责，还是爱国义务，都应该全力清剿太平军，所以朝廷没有必要赋予自己更大的官位；第三，如果一定要有人胜任这个位子，那也应该是德才兼备的左宗棠。

如果说以上都算是些表面客套话，那曾国藩所说的“在朝廷不必轻假非常之权”，则足以见他对朝廷的一片苦心。这是曾国藩在以一种焦急、紧张、负责的态度对朝廷说：怎么能轻易将这样的大权授予官员呢？言外之意就是：万一权臣持兵傲物，藐视朝廷，或是起兵造反，后果将不堪设想。此时的曾国藩为了让朝廷认识到这个可怕的后果，收回给自己的重权，甚至不惜将自己列为“危险对象”。

面对这样的上书，“金三角”方面也表现出高度的感激，他们回复说曾国藩“真挚、有古大臣之风”，并说已经给予了左宗棠重要职权，要曾国藩安心接受封赏。

朝廷方面仍表示器重，曾国藩却心里有数：被捧得越高，日后就会摔得越惨，更何况像左宗棠这样有个性的能臣、才臣，又怎么会乖乖听自己领导？于是，曾国藩再三上书，封封都是从朝廷的角度出发，拒不接受这样的任命。

最后，“金三角”乐呵呵地妥协了，对曾国藩也更加器重了。

一个人如果处处表现出自己的聪明才智，实际上是一种愚蠢的表现。月满则亏，水满则溢，花开得太盛就是凋谢的征兆了。中国古代的道家和儒家都主张“大智若愚”，而且要“守愚”。因为要守，就不是真愚，而是真智慧。大智若愚的人给人的印象是：虚怀若谷，宽厚敦和，不露锋芒，甚至有点木讷。

真正聪明的人往往低调内敛，懂得“闷声发大财”的道理，因为他们深知，一个谦卑而又有实力的人总会赢得大家的尊重，成功者往往是恪守低调作风的典范。低调做人不仅是一种境界、一种风范，更是一种思想、一种哲学。

3. 谋人者成于智，亦丧于智也。谋身者恃其智，亦舍其智也。智有所缺，深存其敌，慎之少祸焉。

【译文】

谋划别人的人，成功在智谋，失败也在智谋。谋划保全自身的人，依靠智谋，但也要舍弃智谋。智谋有它缺欠的地方，也存在它的敌手，所以谨慎使用才能减少由它带来的祸患。

【智慧解读】

一个人如果善于谋划，近期来看他似乎可以获得成功，但长远来说，此人也很可能因为他的谋划而失败。历史上善于筹谋的人很多，但最后能够独善其身的人很少。所以，真正聪明的人，懂得谨慎使用计谋。

古今中外，耍小聪明误事的，甚至丢掉性命的人比比皆是。聪明之人拥有令人欣羡和成功的资本，但也应更加审慎，如果误入歧途，机关算尽也必有一失。做人爱用心机，往往聪明反被聪明误，处事太外露的人，常常首先遭到伤害。

据史记载，杨修是曹操门下掌库的主簿。此人生得单眉细眼，貌白神清，博学能言，智识过人。但他自恃其才，竟小觑天下之士。

一次，曹操命人建一座花园。快竣工了，监造花园的官员请曹操来验收察看。曹操参观花园之后，是好是坏是褒是贬，一句话也没有说，只是拿起笔来，在花园大门上写了一个“活”字，便扬长而去。一见这情形，大家犹如丈二和尚，摸不着头脑，怎么也猜不透曹操的意思。杨修却笑着说道：“门内添‘活’字，是个‘阔’字，丞相是嫌园门太阔了。”官员见杨修说得有道理，立即返工重建园门，改造停当后，又请曹操来观看。曹操一见重建后的园门，不禁大喜，问道：“谁知道了我的意思？”左右答道：“是杨修主簿。”曹操表面上称赞杨修的聪明，其实内心已开始忌讳杨修了。

又有一回，塞北送来一盒酥饼孝敬曹操，曹操没有吃，只是在礼盒上亲笔写了三个字“一合酥”，放在案头上，自己径直出去了。屋里其他人有的没有理会这件事，有的不明白曹丞相的意思，不敢妄动。这时正好杨修进来看见了，便堂而皇之地走向案头，打开礼盒，把酥饼一人一口地分吃了。曹操进来见大家正在吃他案头的酥饼，脸色一变，问：“为何吃掉了酥饼？”杨修上前答道：“我们是按丞相的吩咐吃的。”“此话怎讲？”曹操反问道。杨修从容地应道：“丞相在酥饼盒上写着‘一人一口酥’，分明是赏给大家吃的，难道我们敢违背丞相的命令吗？”曹操见又是这个杨修识破了他的心意，表面上乐呵呵地说：“讲得好，吃得对，吃得对！”其实内心已对杨修产生厌恶之情了。但杨修还以为曹操真的欣赏他，所以不但没有丝毫收敛，反而把心智用在琢磨曹操的言行上，并不分场合地卖弄自己的小聪明，从而也不断地给自己埋下祸根，最终因“鸡肋”事件被曹操诛杀。

古人云：“且以巧斗力者，始乎阳，常卒乎阴，泰至则多奇巧。”由此可见“心机”显现的形态。一个人如果总以“心机”去对待身边的人和事，迟早会遭到别人的打击报复。纵观古往今来，不少人都因为处世用尽心机，或者聪明太盛，反为之所累，甚至招来杀身之祸。杨修就是典型的例子。

苏东坡在《洗儿》一诗中这样写：“人皆养子望聪明，我被聪明误一生。唯愿孩儿愚且鲁，无灾无难到公卿。”苏东坡对自己一生因聪明而受的苦真是刻骨铭心，以至于希望自己的儿子愚蠢一点，才能躲避各种灾难。所以说处世为人，千万不可被聪明所误，过于聪明正是许多人的痛苦之源。人生也是如此，人人都玩弄聪明才智，只会让世界繁杂凌乱，绝圣弃智，才能朴实安然地生活。

提起《红楼梦》中的王熙凤，人们一方面惊叹于她无与伦比的治家才能、应付各色人等的技巧，一方面又感慨于她的结局。她就是因“心机”太重而遭悲惨结局的典型。

《聪明累》中这样总结王熙凤的一生：“机关算尽太聪明，反算了卿卿性命！生前心已碎，死后性空灵。家富人宁，终有个家亡人散各奔腾。枉费了意悬悬半世心，好一似荡悠悠三更梦。忽喇喇似大厦倾，昏惨惨似灯将尽。呀！一场欢喜忽悲辛。叹人世，终难定！”

王熙凤“于世路上好机变，言谈去得”“心性又极深细，竟是个男人万不及一的”“少说着只怕有一万心眼子，再要赌口齿，十个会说的男人也说不过她呢”“从小儿大妹妹玩笑时就有杀伐决断，如今出了阁，在那府里办事，越发历练老成了”“真真泥腿光棍，专会打细算盘”“天下人都叫你算计了去”“嘴甜心苦，两面三刀”“上头笑着，脚底下使绊子”“明是一盆火，暗是一把刀”，她都占全了。这些熟悉凤姐为人的各色人等对凤姐的评价，活脱脱展现出了一个机关算尽太聪明的人物。然而，就是这样一个十分精明的人物，却落得孤家寡人，身心劳碌至死，最终又一无所得的下场，不正应了“聪明反被聪明误”那句话了吗？

王熙凤不可谓不聪明，但导致她悲剧结局的因素不也正是因为她“太聪明”吗？她想尽各种办法，使用种种计谋，想使贾府振兴起来，然而她的努力，她的“鞠躬尽瘁”，却换来了贾府上下人的一片不满，最终也没有使贾家有什么起色，死后甚至连女儿也保不住。

在现实生活中，人们往往因为偏执和自我，自命不凡、投机取巧，最后连前途都葬送了。然而能够建功立业的，大多是谦虚圆通的灵活之人；喜欢惹是生非、错过机缘的，则大多是固执己见、聪明反被聪明误的人。人生是一个取舍的过程，其中有很多事情需要“半途而废”，随时调整自己，才能找到更好的前进方向。

4. 智不及而谋大者毁，智无歇而谋远者逆。智者言智，愚者言愚，以愚饰智，以智止智，智也。

【译文】

没有大智慧却谋划大事的人，只能失败；频繁使用智谋还想长远谋利的人，难以如愿。对智慧的人说智慧，和愚蠢的人说愚蠢，用愚蠢来掩盖智慧，用智慧来制止智谋，这才是真正的智慧。

【智慧解读】

做人必须要吃透很多学问，“聪明反被聪明误”即为其一。“聪明”是一个带有限定性的词，处理不好，即会被聪明误，因为物极必反，任何事情都有一个限度。对深藏不露的意图可利用，却不可滥用，尤其不可泄露。一切智术都须加以掩盖，因为它们最容易招人嫉妒。

如果凡事都精打细算，奉行绝不吃亏的信条，必定会被现实撞得头破血流。面对弱肉强食的世界，我们必须要有一个好的心态，学会容忍暂时不能改变的现实。“忍人所不能忍，成人所不能成。”成为“聪明”

的傻子，吃一些小亏，为将来的发展埋下反击的伏笔，才是我们应该做的。

和珅可谓有才，若无才，他何以由一名当差的升为户部侍郎兼军机大臣，官至文华殿大学士，封一等公？献媚逢迎是其才之“专长”，正如鲁迅所说：“帮闲也得有才。”他在狱中作的诗，即可做证。和珅为官，弄权耍奸，朝野骂声不绝。故而当他的靠山乾隆皇帝死后不久，他就被嘉庆皇帝拟定二十条罪状，令其自裁，抄没家产约值八亿两，相当于朝廷一年收入。这“八亿两”乃种种祸国殃民、巧言令色的诸般“前事”的积累和“物化”。“百年原是梦，卅载枉劳神”，他在狱中作的诗总结得何等正确。恋生惧死，人之常情，和珅“伤感”于“前事”，他身陷囹圄之际，最终才明白是他的那种以权谋私的“才”，“误了自身，罪有应得，没啥冤枉”。

一个人发展越顺的时候，越应该更加小心。人一旦太顺了，嫉妒的人就多了，想要找茬的人也就多了，稍微不小心，就有可能落下把柄在别人的手里。正因为发展太顺了，人们常常会掉以轻心，觉得世间就只有自己聪明，只有自己的如意算盘能够打得响。所以，越是聪明的人，越容易栽大跟头，越是艺高的人，就越容易酿成大祸。

常言道：聪明一世，糊涂一时。不可否认，胡雪岩是个聪明人，可是在替清政府跟洋人借钱的时候，他这个聪明人却干了一件糊涂事。

由于清政府腐败无能，在与洋人的战争中一次又一次失利。眼见这样的失败局面，朝廷不知加强自己的军事训练，强化自己的力量，反而采取了妥协的政策，希望“息事宁人”。可是，就是因为一次又一次的妥协，洋人狮子大开口，索要的赔款越来越多。

面对巨额的赔款，清政府就是倾尽国库也拿不出来。于是，朝廷将筹集赔款的任务交给了胡雪岩，由他作为清廷的总代理，向洋人的银行借贷。如果胡雪岩以阜康老板的身份，跟洋人银行的代理人葛德利要红包、要回扣，那也是再平常不过的事情。

可是，此时胡雪岩的身份是大清朝钦封谕授的上海转运局委员，由朝廷出据，跟洋人借款。如果这个时候再拿回扣，就等于是贪污受贿，罪名可就大了。即使承担着这样大的风险，胡雪岩也禁不住利益的诱惑。他想，自己经历了那么多的事情，别人都没能将他怎么样，这一次，也不会出什么事情的。况且，银子就在眼皮子底下，如果不赚，也对不起自己。于是，一不做二不休，他与洋人拟定的利息是四厘，可是跟朝廷申报是一分三。剩下的九厘，胡雪岩和葛德利对半分，各扣四厘五。

如果胡雪岩能够在风头正盛时谨慎一些，那么也就不会出什么事情。可是偏偏他在大家都集中精力关注的地方，动了这么一个歪脑筋。所以很快，关于胡雪岩吃回扣的消息传了出来，那些平时就看不惯胡雪岩的人，终于抓住了他的把柄，上报朝廷。朝廷很快将胡雪岩停职查办，阜康钱庄也因此倒闭。

人们常说艺高人胆大，聪明的人经常会低估别人的能力，等到自己跌了跟头的时候，才开始后悔。所以，在现实中，一定不能以为自己聪明，就对什么事情都掉以轻心。

灾难常常是在最不经意的时候来临的，所以做事

情一定要小心谨慎，不能机关算尽，否则到头来承担恶果的是自己。

胡雪岩这个“聪明人”，却干了一件糊涂事，最终被革职查办，典型的“聪明反被聪明误”。正如他自己所说：“再精巧的算盘，也有打错的时候。”再精明的人，也有失算的时候。

用势卷二

1. 势无常也，仁者勿恃。势伏凶也，智者不矜。

【译文】

势力不会一直存在的，仁德的人不会依赖它。势力暗藏凶险，有智慧的人不会夸耀拥有它。

【智慧解读】

人的一生短短数十年，总有人希望能把握时间体验所有的事情，享受所有欢乐。为人臣者，既想要荣华富贵，又想要青史留名，最后却往往落得一无所有。仁德的人不会依赖权势，因为势力不会一直存在。再加上任何势力中都隐藏着危险，智慧的人自然也不会向别人夸耀自己拥有它。

人说官场就如同一片海，越往深处走，就越危险。有点官场智慧的人都明白功成身退的道理。因此，在官场中，要时刻保持危机意识，给自己留好退路，虽在宦海之中，却时时做好上岸的打算。在自己拥有势力的时候，也要时刻警惕，保持危机意识。

当年，曾国藩丧服在身，却操练出了英勇的湘军。湘军不出手则已，出手后先取得了岳州之胜，后又帮助朝廷收复了武昌、汉阳两座城池。按理，武昌是交通枢纽、军事重地，之前太平天国也就是因为夺了武昌，才成了更大的“气候”，对朝廷构成致命的威胁，而湘军在同一天就夺下了武昌和汉阳，这实属大功。

有了功绩，湘军就不再是人们口中的“花拳绣腿”“乌合之众”；有了功绩，曾国藩也再不是咸丰皇帝所嘲讽的“吹牛大王”了。果然，捷报送上去不久，朝廷方面对曾国藩的赏赐就下来了：二品顶戴，署理湖北巡抚，赏戴花翎。

按品级说，曾国藩这是平调。对于这点，曾国藩是没有怨言的，毕竟自己之前的官升得太快、太大了，而自己此前的功绩还不至于封侯拜相。相反，曾国藩倒觉得庆幸。他所受的湖北巡抚一职是有实权的，这对自己日后解决湘军一向棘手的军费问题、扩建问题，简直太有帮助了。

然而，高兴的念头只是一闪而过，重重矛盾却让曾国藩深陷不安：朝廷的认可固然重要，这送上门的职位权力也很诱人，但是自己现在的身份是个在家守孝之人。按当时的礼教与制度，如果没有极特殊情况，守孝的人就不应该涉足国事、军事，偏偏所谓的“特殊情况”又很难界定。当年，明朝首辅张居正就是一个血淋淋的案例。张居正父亲去世，还留在朝中主持朝政。而这，成为政治对手和不怀好意者对他进攻的把柄。

碍于这深深的顾虑，曾国藩几乎是在接到圣旨的同时就发了辞职信，他说“私心万难自安”，他要请辞湖北巡抚一职。而此时的曾国藩其实是不想放权的，他只是想通过自己的一再请辞与朝廷的不允，来使外界可能产生的流言蜚语最小化。

七天之后，曾国藩没有等到朝廷的“不允辞职”，他等到的是这样的圣谕：收回成命，撤掉曾国藩湖北巡抚的官职，改赏其他。尴尬的是，解职圣谕是皇帝在封完湖北巡抚之后，主动火速追加的，只不过七天后才送到曾国藩面前而已。更为尴尬的是，几日之后，皇帝对曾国藩辞职信的阅览结果也回来了。咸丰皇帝丝毫不留情面地指出曾国藩这是在玩欲擒故纵的把戏，他说曾国藩贪功好名，更警告曾国藩“严行申饬”。

原来，咸丰帝本人对曾国藩和湘军的武昌战绩倒还满意。只是，有重臣提醒他，说：“曾国藩现在家守孝，实和布衣没有区别。一介布衣就能呼风唤雨地创建军队。若日后，他翅膀更硬了，功劳更大了，岂不是……”咸丰帝听得脑后发凉，才决定要扼制一下曾国藩的“嚣张气焰”。

经历了这一场戏剧性的变故之后，曾国藩无论再取得多大的功绩，身居多高的位置，都如履薄冰，他更时刻都为卸任做好了准备。

能像张良一样善终，是很多权臣的最高理想。曾国藩又何尝不是这样想呢？只是，他的领悟一部分来自对历史的借鉴，一部分则是来自赤裸现实的教训。在官场打拼到高位之人，都知道“祸福相依”的道理，也最该懂得时刻敛势以求自保。

公元 234 年，诸葛亮死于第五次北伐途中，蜀汉军团撤退，西线上最大的威胁被解除，时任都督雍、凉二州诸军事的司马懿成了大英雄，洛阳的表彰雪花一样飞到长安，司马懿的威望达到了前所未有的高度。

与此同时，在与诸葛亮对峙的这些年中，司马懿为了囤积兵粮，不断开垦土地，修建水利工程，雍州、凉州的粮食产量直线上升，不但能够实现军粮的自给自足，当关东地区爆发大饥荒的时候，司马懿还能轻松地拨出五百万斛粮食支援受灾地区。

坐拥十万大军，万石粮秣，遍观天下再无可与其匹敌之人，司马懿踌躇满志。

公元235年，蜀国大将马岱再次出兵北伐。

诸葛亮临死之前再三叮咛，要求蜀国将领镇守汉中，千万不要学他北伐中原，但没人把他这句话当回事儿，姜维等人无不跃跃欲试，希望自己能够一统华夏，开创诸葛武侯未完成的勋业。

想不到连马岱也来凑热闹。

司马懿接到报告后只是轻蔑地一笑，同时下令牛金率领一支骑兵前去迎战，马岱的大军一触即溃，牛金轻而易举地斩杀蜀军千余人。

这场战斗虽然短暂，却引发了整个西北地区的震荡，诸葛亮的去世，标志着那支跟随诸葛亮南征北战的无敌军团已经烟消云散，这让当地摇摆不定的第三方武装力量下定决心投靠魏国。同年，常年盘踞在武都的氐王苻双、强端率领部属六千余人投降司马懿，将这阵动荡带向了顶峰。

喜出望外的曹叡下发诏书，把司马懿狠狠夸了一顿："当年周公辅佐成王的时候，就曾给成王送过一只祥瑞白鸡，如今你辅佐我，竟然也抓到了一只祥瑞白鹿，这不正是天意要你当我的周公旦吗？"

司马懿清楚地记得，十年前曹丕曾把他比作汉丞相萧何，想不到如今的天子居然说他是周公！司马懿遥望东方洛阳三呼万岁，感动得不能自已。

这是司马懿如日中天的时刻，但让人想不到的是，司马懿依然能保持谦恭低调的姿态，非但没有居功自傲，骄矜跋扈，反而比之前郁郁不得志的时候更加谦和，更加礼让。

在一次进京述职的时候，司马懿路遇高阳乡侯常林，于是恭恭敬敬地向常林执晚辈礼，将道路让在一旁，而常林居然也毫不客气地接受了司马懿的大礼（这个常林是司马懿的温县老乡，跟他父亲司马防平辈论交，算是司马懿的长辈，但官爵比司马懿低）。有人就责备常林，说司马公现在身份尊贵，你可别再让他对你行大礼了。常林却毫不以为意，说道："司马懿自己想要分清长幼的顺序，为后辈做楷模，况且他的尊贵又不是我所敬畏的，他向我行礼也不是我给他定的规矩，我何必去阻止？"

这件事情很快便传开了，也传到了曹叡的耳朵里。司马懿在立下如此奇功，身居如此高位的情况下还对长辈如此恭敬有礼的态度给很多人留下了好印象，再加上他平时低调谦和的表现，包括曹叡在内的很多人都相信，司马懿是一个勤勤恳恳的忠臣——过去是，现在是，将来也是。

最危险的时刻不是屡屡失意的时刻，而是你功勋赫赫的时刻。因为一旦功高震主，就会出现"赏无可赏"的局面，这时候，你对领导来说就是一个威胁了。可以说，这时候就是上下级关系最敏感的时候，一点小小的动静就有可能点燃这个导火索，让领导下决心剔除你这个威胁。

所以，越是功劳高，拥有的势力越大，就越要放低姿态，要比之前更加低调，更加谨慎，哪怕是刻意的低调，总之不能让领导感觉到威胁，只有领导彻底放心了，这一页才算揭过去了。

2. 势莫加君子，德休与小人。君子势不于力也，力尽而势亡焉。小人势不惠人也，趋之必祸焉。

【译文】

势力不要加在君子身上，仁德不能加在小人身上。君子的势力不会表现在权势上，以权势为傲的人一旦权势丧失，势力也跟着消失了。小人的势力不会惠及他人，趋附它一定会招来祸害。

【智慧解读】

君子不会追求权势，而小人却会为了权力富贵而失去道德，所以仁德是不能加在小人身上的。小人得势之后，也不会用势力来造福他人，很可能还会给自己带来灾难。

一个人的荣华富贵，如果是从高深的道德修养中得来，那就如同生长在大自然中的野花，绵延不绝；如果从建立政治功勋中得来，那就如同生在花园中的盆栽一样，只要稍微移动，花木的成长就会受到严重的影响；若靠特权或恶势力而得，就如插在花瓶中的花，由于根没有深植在土中，很快就会凋谢。

有个名叫王妄的人，虽然穷困潦倒，但心地善良。这个人三十余岁一事无成，也未娶妻，靠卖草维持生活。

有一天，王妄到村北去打草，发现草丛里有一条七寸多长的花斑蛇因为受了伤，动弹不得，王妄遂救了此蛇，带回家中。蛇苏醒之后，为了表达感激之情，向王氏母子俩颔首点头。王氏母子见状非常高兴，为蛇编了一个小荆篓，小心地把蛇放了进去。从此王氏母子精心照顾小蛇，蛇慢慢长大了。

此时，乃宋仁宗当政，仁宗整天不理朝政，对宫内生活深感枯燥，想要一颗夜明珠赏玩，公告天下谁能献上一颗，就封官受赏。王妄听闻此事，回家无意对蛇一说，蛇沉思了一会儿说："这几年来你对我很好，而且有救命之恩，总想报答，可一直没机会，现在总算能为你做点事了。实话告诉你，我的双眼就是两颗夜明珠，你将我的一只眼挖出来，献给皇帝，就可以升官发财，老母也就能安度晚年了。"王妄听后非常高兴，可是他毕竟和蛇有了感情，不忍心下手，说："那样做太残忍了，我不能这样做。"蛇说："不要紧，我能忍住。"于是，王妄挖了蛇的一只眼睛，把宝珠献给皇帝。宝珠在夜晚能够发出奇异的光彩，把整个宫廷照得通亮，皇帝非常高兴，对王妄进行了封赏。

皇上得到宝珠后，娘娘也想要一颗，于是宋仁宗下令寻找另一颗宝珠，并说把丞相的位子留给第二个献宝的人。王妄遂起了歹念，想要蛇的另一只眼睛。于是他回到家中去找蛇商量，但是蛇无论如何不给，劝说王妄道："我为了报答你，已经献出了一只眼睛，你也升了官，发了财，就别再要我的第二只眼睛了。人不可贪心。"

而此时的王妄早已鬼迷心窍，根本不听劝，无耻地说："我不是想当丞相吗？你不给我怎么能当上呢？况且皇帝已经允诺我了，如果我不把你的眼睛交出去，如何向皇帝交代。帮人帮到底，你就成全我吧！"他执意要取蛇的第二只眼睛，蛇见他变得这么贪心残忍，只好说："那好吧，你拿刀子去吧！不过你要把我放到院子里再取。"王妄闻言心中一喜，立刻将蛇放到院子里，转身回屋取刀子。等他出来剜宝珠时，蛇已变得如大梁一般粗了，一口将这个贪心的人吞了下去。

这个故事虽然带有几分鬼神气息，却对王妄不同时期的形象刻画得入木三分。贫困时，他能保持善良的品格，富贵时，却在贪婪的泥沼中越陷越深，直到他为此付出生命的代价。实际上，王妄只是为了富贵而丧失道德的这类人的一个缩影。和这类人相比，那些让财富、权贵长在道德的阳光之下的人，虽然苦心孤诣一辈子，也不一定能飞黄腾达，但至少富贵挣一份是一份，不仅让人用得心安理得，还会让生活细水长流。

每个人都有自己的本心。当一个人做到以本心待人接物时，便是“人品做到极处”的时候。孔子曾说：“富而可求也，虽执鞭之士，吾亦为之；如不可求，从吾所好。”孔子所谓的求，不是“努力去做”的意思，而是“想办法”，如果是违反原则求来的，那是不可以的。国学大师南怀瑾先生指出，孔子认为一个人做什么并不重要，关键在于他能否坚持自己内心的良知，一个品性正直的人，无论在什么时候，都不会违背自己的良知。

在北京大学里，谁都知道季羡林是国宝级的大师，但他毫无架子，对下属、对助手、对学生都是关怀备至，博大无私。

有一年，在北大新生入学的时候，一位学生因为身边的行李太多而不好各处奔走办理入学手续，因此想找一个人帮自己看一下行李。这时他看到身边的一位老人，便走过去对他说：“不好意思，打扰一下。”见到老人转过了身，便接着说:“我是来北大报到的新生。因为办理入学手续要跑很多地方，而我的行李又太重，所以能不能麻烦您帮我看一下行李，我一会儿就回来。”老人欣然答应。因此他就把自己的行李托付给了这位老人，然后自己一个人去报到了。

但是由于报到的新生实在太多，等他把一切手续都办好后，他才发现已经过了很久。可是当他匆忙地赶回来时，那位老人仍然静静地在那里等着。这让他很感动，并真诚地向老人道谢，却忘记询问老人的姓名。

在不久后的开学典礼上，这位新生惊讶地发现，走上来致辞的副校长竟然是那天帮自己看东西的老人。至此，他才明白曾给予自己帮助的那个人就是季老。

古语说“学问深处意气平”。一个人至高的品行就是本心自然地外露。季老的举手之劳不是为了修为或者名誉，但却在平易随和中彰显了大家的风范。

其实，这个世界上很多成功的起点都在我们胸前靠左的位置。如果人生迷失本心的方向，就会像过于炫技的写作一样，让生命变得浮夸。

所以，生活中，如果一个人想要真正掌控自己的人生，首先要让自己保持善良的本心；一个人要想到达远方，就要踩在善良的踏板上；一个人要想拥有至高的人品，就要让自己这颗善良的心始终经得起考验。只有做好内在的修为，才能够拥有外在的成就。当我们从善心启程时，就不会逾越心灵的维度，失去办事的分寸，自然会修得本然却至极的人品。

3. 众成其势，一人堪毁。强者凌弱，人怨乃弃。势极无让者疑，位尊弗恭者忌。

【译文】

众多的人在一起才能成就势力，但只要一个人就能毁掉它。有势力的人欺负弱小的人，人们就会怨恨他、离弃他。势力达到顶点却不知退让的人，让人猜疑；地位尊贵却不谦恭的人，使人忌恨。

【智慧解读】

汉代开国谋臣张良，并非体魄雄伟、英气非凡的人物，而是貌若妇人般的文弱书生。他身居乱世，胸怀国亡家败的悲愤，投身于倥偬的兵戎生涯，为汉王朝的建立立下了不可磨灭的功劳。因此，历来史家无不倾墨书载他深邃的才智，极口称赞他神妙的权谋。

俗话说，兔死狗烹，功高盖世的张良也曾面临着同样的严峻考验，但是他以超然世外的人生态度避免了悲剧性的命运。其中的做人与处世之道，值得后人用心揣摩。

西汉的张良是汉高祖刘邦的谋士，他聪慧过人，屡出奇计，为西汉的建立立下了不朽的功劳。公元前 201 年，刘邦大封功臣。刘邦说:“运筹帷幄，决胜千里之外，这是子房的功劳。”请他自选齐地三万户，作为封邑。张良推辞不受，最后被封为留侯。

张良的谦逊，很多人对此颇为不解。刘邦的另一位谋士陈平就曾问张良:“先生功高盖世，荣宠受之无愧，又何必拒绝呢？我们追随皇上，出生入死，今有幸得偿所愿，先生不该轻言舍弃。"

陈平见张良一笑不答，又说："先生足智多谋，非常人所能测度，莫非先生别有筹划？"张良敛笑正容道："我家几世辅佐韩国，秦灭韩时，我幸存其身，得报大仇，我愿足矣。我凭三寸不烂之舌，作为帝王的辅佐，贵为列侯，我还有什么悔憾呢？我只求追随仙人遨游四方了。"

张良从此闭门不出，在家潜心修炼神仙之术。跟随张良多年的心腹一次忍不住问张良："富贵荣华，这是人人都不愿放弃的，大人何以功成之时，一概不求呢？大人也曾是义气中人，这样销声匿迹，岂不太可惜了吗？请大人三思。"

张良叹息一声说："正因如此，我才有如此抉择啊。"

张良的心腹闻言一怔，茫然不语，张良低声说："我年轻时，散尽家财，行刺秦王，追随沛公，唯恐义不倾尽，智有所穷，方有今日的虚名。时下大局已定，天下太平，谋略当是无用之物了，我还能彰显其能吗？谋有其时，智有其废，进退应时，方为智者。"

张良对外人从不坦露心声，好友探望他，他从不议论时事。一次，群臣因刘邦要废掉太子刘盈之事找他商量，他枯坐良久，最后只轻声说："皇上有此意愿，定有其道理，做臣子的怎能妄加评议呢？我对太子素来敬重，只恨我人微言轻，不能帮太子进言了。"

群臣苦劝，张良只是婉拒。群臣悻悻而去，张良的心腹对张良说："大人一口回绝，群臣皆有怨色，再说废立太子乃天下大事，大人怎能置身事外，不闻不问呢？"

张良道："皇上性情，我是深知的啊。此事千头万绪，关系甚大，纵使我有心插手，只怕也会惹来一身的麻烦。群臣怪我事小，皇上怪我事大，我又能怎么样呢？”

吕后派吕泽去强求张良，软硬兼施之下，张良无奈给他出了主意，让吕后请出商山四皓辅佐太子。刘邦一直崇敬这四个人，待见到他们出山相助太子，大惊失色，自知太子羽翼已成，不得不放弃了废太子的念头。

吕后派人向张良致谢，张良却回绝说：“这都是皇后的高见，与我何干呢？请转奏皇后，此事千万不要再提起了。”

吕后听了使者回报，感叹良久，她对自己的妹妹说：“张良不居功是小，弃智绝俗才是大啊。我先前只知道他智谋超群，今日才知他是深不可测，非我等可以窥伺得了的。”

刘邦死后，吕后专权。张良对世事的变故一概不问，求见他的大臣他也一律不见。吕后见他潜心研学道家养生之术，便不以他为患，反而对他愈生钦敬，她派人对张良说：“人的一生，十分短暂，应该及时享乐。听闻你为炼仙术，竟致绝食，何须如此？切不要自寻烦恼了。”

在吕后的一再催促下，张良这才勉强用饭。吕后对其他的大臣或杀或贬，却独对张良关爱有加。

其实，张良之所以选择功成身退、超然世外，是有一定根源的。他是一个知足常乐之人。开国之初他之所以辞封是因为他觉得自己在韩灭、家败后沦为布衣，布衣得封万户、位列侯，他已经很满足了。又看到汉朝政权日益巩固，国家大事有人筹划，自己“为韩报仇强秦”的政治目的和“封万户、位列侯”的个人目标亦已达到，一生的夙愿基本满足。知足常乐，不居功自傲，是张良能够安然隐退的心理基础。

总之，张良的弃智绝俗，是一种明哲保身的智慧，是一种为人处世的艺术，更是一种做人的境界，值得现实中那些执着于追名逐利的人们好好地思索与回味：欲望无尽头，我何时才能够享受清闲快乐的人生呢？

与张良相反，年羹尧功成后志得意满，完全处于一种被奉承、被恩宠的自我陶醉中，以致超越了本应恪守的为臣之义，骄横跋扈日甚一日，最终亲手断送了自己的性命。

年羹尧文武兼修，康熙在位时，他颇受赏识。雍正即位之后，年羹尧更是备受倚重，和隆科多成为雍正的左膀右臂。在年羹尧管辖的区域内，大小文武官员一律听从年羹尧的意见来任用，年羹尧俨然成了总理事务大臣。

雍正跟年羹尧的私交也非常好，并且给予他特殊的荣宠。雍正认为有年羹尧这样的封疆大吏是自己的幸运，如果有十个像他这样的人的话，国家就不愁治理不好了。年羹尧平定青海的叛乱后，雍正极为兴奋，甚至不顾君臣体统，称年羹尧为自己的“恩人”。雍正还要求后人世代都要牢记年羹尧的丰功伟绩，否则便不是他的子孙臣民。

此时，雍正对年羹尧的宠信到了无以复加的地步，年羹尧所受的恩遇之隆，也是自古以来人臣罕能相比的。在生活上，雍正对年羹尧及其家人也是关怀备至。年羹尧的手腕、臂膀有疾及妻子得病，雍正都再三垂询，赐送药品。一次赐给年羹尧荔枝，为保证鲜美，雍正令驿站六天内从京师送到西安，可以与唐明皇向杨贵妃送荔枝相媲美了。雍正希望他和年羹尧彼此做个千古君臣知遇榜样，然而，这似乎只是皇帝的一厢情愿。

此时的年羹尧在官场往来中趾高气扬、气势凌人，赠送给属下官员物件，“令北向叩头谢恩”；发给总督、将军的文书，本属平行公文，却擅称“令谕”，把同官视为下属；甚至蒙古扎萨克郡王额附阿宝见他，也要行跪拜礼。按照清代的制度，凡上谕到达地方，地方大员必须迎诏，行三跪九叩大礼，跪请圣安，但雍正的恩诏两次到西宁，年羹尧竟“不行宣读晓谕”。他的这些行为引起了很多人的不满。

此外，年羹尧还借用兵之机，虚冒军功，使其未出籍的家奴桑成鼎、魏之耀分别当上了直隶道员和署理副将。他这种结党营私的行为，使雍正感受到了很大的威胁，对他的信任也就日益减少了。

年羹尧还贪赃受贿，侵蚀钱粮累计达数百万两。而在雍正朝初年，整顿吏治、惩治贪赃枉法是一项重要的改革措施。此时的年羹尧已经成了众矢之的，雍正除掉他也不过是为民除害。

雍正三年（1725）正月，雍正对年羹尧的不满开始公开化。那些对年羹尧早就心怀不满的内外官员看清形势，纷纷揭发其罪状，群起而攻之。雍正以群臣所请为名，尽削年羹尧官职，并下令捉拿年羹尧至京城会审。朝廷议政大臣向雍正提交审判结果，给年羹尧开列了九十二款大罪，请求立正典刑。

雍正说，这九十二款中应服极刑及立斩的就有三十多条，但念及年羹尧曾功勋卓著，如果对其加以诛刑，恐怕天下人心不服，自己也难免要背上心狠手辣、杀戮功臣的恶名，于是表示开恩，赐其狱中自裁。年羹尧父兄族中任官者俱革职，嫡亲子孙发遣边疆充军，家产抄没入官。叱咤一时的年大将军以身败名裂、家破人亡告终。

年羹尧原本可以凭借他的功绩和雍正对他的信任，成为一代名臣；他也可以功成身退，做一个退隐的世外之人，但他选择了一条不归路。他不仅失去了雍正对他的信任，而且使雍正产生了杀掉他的想法。他压制、侮辱朝中的众多大臣，使他们对他恨之入骨。他失去了所有人的认可与支持，最终亲手把自己逼入了绝境。

4. 势或失之，名或谤之，少怨者再得也。势固灭之，人固死之，无骄者惠嗣焉。

【译文】

势力可能会失去，名声可能会遭诽谤，少发怨言的人能失而复得。势力一定会消失，人一定会死亡，不骄纵的人才能惠及后代子孙。

【智慧解读】

谁都想百尺竿头更进一步，更上一层楼。为学如此，修身亦如此。但是很多东西进一步也许就会跌入万丈深渊。《红楼梦》中有这么一句话：眼前有路忘缩手，身后无路想回头。

很多人只是看到眼前依然有路可走，于是便不假思索地选择前行而忘了收脚，直到发现前方竟然是绝路想要回头时，才发觉早已来不及了。那些眼前看似有路，但是能够克制自己脚步的功成身退者，才是有大智慧的人，曾国藩无疑就是一个例子。

在生活中，有很多事需要接受“可不可”的度量。如果可以不择手段去求得我们想要的东西，那么即便得到了也名不正言不顺。如果得到势力就骄纵滥为，不但会破坏自己的名声，还可能会祸及子孙，甚至祸国殃民。

汉光武帝建立东汉王朝后，懂得打天下要靠武力，治理天下却需要有效的法令。所以积极地采取休养生息的政策，减轻捐税，释放奴婢，减少官差，使得东汉初年的经济得到了恢复和发展。不过法令可以治世，可以威慑百姓，却无法约束达官贵人。光武帝的大姐湖阳公主依仗兄长做皇帝，横行无忌，她的奴仆也不把法纪放在眼中。

湖阳公主有一个家奴仗势行凶杀了人，躲在公主府里不敢出来。这件事被当时的洛阳令董宣受理。这个洛阳令为人耿直，认为天子犯法，与庶民同罪。尽管他不能进公主府去搜查，却天天派人在公主府门口守着，只等家奴出来。

一天，湖阳公主坐着马车外出，跟随着她的正是那个杀人的家奴。董宣得到了消息，就亲自带衙役赶来，拦住湖阳公主的车。

湖阳公主怒道：“好大胆的洛阳令，竟敢阻拦我的马车！”

董宣毫不畏惧，当面责备湖阳公主不该放纵家奴犯法杀人。他不管公主阻挠，吩咐衙役把凶手逮起来，当场处决。

湖阳公主十分生气，马上赶到宫里，向汉光武帝哭诉董宣怎样欺负她。汉光武帝听了，也十分恼怒，立刻召董宣进宫，吩咐内侍当着湖阳公主的面，责打董宣，想替公主消气。

董宣说：“且慢，微臣有话要奏。”

光武帝怒气冲冲地说：“你还有什么可说的。”

董宣说:“陛下是一个重信的皇帝，应该注重法令。现在陛下让公主放纵奴仆杀人，这是治理天下的正确方法吗？如果微臣因为维护法令而获罪，恳请以死谢天下！”说罢，他向柱子撞去。光武帝连忙吩咐内侍把他拉住，然而董宣已经撞得头破血流。

光武帝理屈，但是为了顾全湖阳公主的面子，要董宣向公主磕头赔礼。董宣宁死不磕，内侍把他的脑袋往地下摁，可是董宣用两手使劲撑住地，挺着脖子，说什么也不妥协。

内侍回报说:“董宣的脖子太硬，摁不下去。”光武帝也只得将董宣哄了出去。湖阳公主见光武帝放了董宣，并不服气，讽刺光武帝没有权威，光武帝无奈地说:“正因为我做了天子，就不能再像做平民时那样肆意为之。”

董宣敢于挑战权威，坚持原则而不退让，是值得尊敬的，无论官品与人品皆属上乘。光武帝知道自己不能肆意滥为，明白约束自己的怒火，也是值得赞扬的。如果把一个国家交给湖阳公主这样的人管理，相信过不了多久，就会国破家亡。

俗话说，树大招风。当一个人的功名与富贵达到了一定程度的时候，不会是一种幸福，反而会成为一种负累。钱多了，就会有人想从你的身上“揩油”，所以很多有钱人都不能安枕无忧，他们随时都要保持警惕，唯恐遭到别人的算计。出门要带保镖，与别人交往也不能真心以待，害怕别人是看中他们的钱。所以，有钱的人是辛苦的，他们的心一直在紧绷着，提防着身边的每一个人；荣誉多了也不是什么好事，人们会逐渐为了守护自己的名声而努力，做什么事情都要小心翼翼，唯恐丢了面子，破坏了名声。

在功绩面前沾沾自喜，难以把持住自己，这是人类天生的弱点，也是招致灾祸的常见原因；而保持冷静的态度，谦虚处世、低调做人就会增大生活安全系数，减少别人嫉恨和打击你的机会。

公元979年初，宋太宗御驾亲征北汉，北汉皇帝刘继元走投无路，只好投降。面对这巨大的胜利，宋太宗心花怒放，难以自持，他不顾兵疲财缺的现状，主张乘胜伐辽，收回被辽占据的燕云十六州。

宋朝大将潘美反对此议，他对宋太宗恳切地说："我军虽大胜，此刻也不能志得意满，轻敌冒进。眼下尚需要稳定形势，巩固胜果，士卒也需要休整。"

宋太宗不待出语，总侍卫崔翰却越众而出，大声说："此乃天赐良机，岂可轻易放弃？陛下进兵之举甚合民心，必群起响应。我军又是得胜之师，其势难挡，当无坚不摧，伐辽必有胜算。"

宋太宗本求胜心切，又听崔翰这样讲，便不再犹豫了，宋军遂大举北进。宋军快到高粱河时，遭到辽军的伏击，损失惨重，宋太宗也不知去向。

当时，宋太祖赵匡胤的长子、武功郡王赵德昭也随宋太宗亲征。他手下的将领猜测宋太宗不是被杀，就是被俘，于是私下商议立赵德昭为帝。众将讨论过后，齐聚赵德昭的帐中，为首者当面劝赵德昭说："皇上失踪，想必已经蒙难。如今军心不稳，大敌当前，大王如不当机立断，承继大统，恐怕变乱不止。恭请大王迅速登上帝位，号召天下。"

赵德昭面对众将拥立，一时心动，但他努力使自己镇静下来，没有轻言可否。

想当初，宋太祖赵匡胤去世时，他没有把皇位传给自己的儿子赵德昭，却遵循母亲的遗命，让弟弟赵匡义做了皇帝。这个事曾让赵德昭心中郁闷，落落寡合。赵德昭的一位亲信劝他不可这样，这位亲信出口说："事已至此，大王纵有千般怨言，也无力回天了。大王现在的举动，皇上必定极为关注，皇上怎会容忍一个心怀不满的臣子呢？再说，大王当不上皇帝也未必就是坏事，只要大王参透荣辱，顺天应命，也不会感到做个逍遥亲王有什么不快。"

赵德昭不乏聪明，他一下领悟了亲信的用意，不觉为自己先前的失误暗自叫险。自此，他天天纵歌饮酒，对宋太宗又极其恭敬，宋太宗对他并不怀疑，君臣相安无事，相处得十分融洽。

今日面对此变，赵德昭虽口里没有说什么，心里却是千回百转。他思忖这件事关系太大，万不可因贪求帝位而犯下致命之祸。他又想太宗虽是失踪，终究不能肯定他已蒙难，如果自己轻率即位，太宗又没死，太宗自是不能放过他了，如此自己连性命都将不保。

此时，让人蠢蠢欲动的帝位在赵德昭心中成了一块烫手的山芋，他越想越怕，先前的窃喜之情一扫而光。他决定以静制动，慎重行事，于是他故作生气之状开口说："皇上生死未明，大敌在侧，你们不思报国杀敌，却在这儿胡言乱语，动摇军心，这是忠臣所为吗？我是皇上臣子，誓死效忠皇上，岂能受你们唆使，干下这大逆不道之事？你们真是昏了头了！"

众将本想赵德昭定然接受，自己也可有拥立之功，飞黄腾达，然而等到的是赵德昭出言训斥，他们都瞠目结舌，不知如何应对。他们虽自称有罪，但心中怅然若失，面有不快之色。

见此情形，赵德昭为了安抚众将，不令他们疏远自己，他又低声说：“你们的好意我心领了，可荣辱之事，岂可盲动？再说赵氏江山谁做皇帝都是一样，我岂能趁皇上危难而行其私呢？倘若皇上真的遭遇不幸，为了宋室江山，我还是不会令各位失望的。”

众将气消，皆服其义。第二天早上，宋太宗竟被杨业父子救回，安然无恙，众将又深服赵德昭的慎重之行了。

宋太宗生死未卜时，赵德昭面对着皇位的极大诱惑，怎么会不心动呢？但是，他也想到了这件事的玄妙，如果宋太宗真的是死了，他就可以顺水推舟，坐上九五之尊的龙椅；但是如果宋太宗活着回来呢，那么他的轻举妄动无异于引火自焚，这事情的关键就在于宋太宗现在的情况是生死未明，这一不确定性最终让赵德昭打消了铤而走险的念头，宁可安分守己，也比犯下篡位之大罪，人头落地来得好啊。所以，他的这种宠辱不惊的态度实在是一种最安稳的自保之策。

人生在世，无人不求名与利。但是，这名利的背后往往隐藏着巨大的祸端，尤其是至尊的皇位，无不是人人梦寐以求之物。但是面对这些利诱，如果处理不好，就会陷入困境，甚至丢掉性命。

利卷三

1.惑人者无逾利也。利无求弗获，德无施不积。

【译文】

没有任何东西能像利益一样迷惑人。如果不追求利益，就不能获得；如果不施舍仁德，就不能积累。

【智慧解读】

人总是希望将所有自己渴望的东西占为己有，但最后却落得一无所有的下场。人之所以为人，就是因为他们即便知道欲望的可怕，也无法避免。他们总是天真地以为，自己在不断地得到，却忘记了正在失去的。要知道，利益是最能迷惑人的东西。

人最难的就是能够控制自己的欲望。困于欲望之争的人，轻者贫困潦倒，重者则丧失最宝贵的生命。

"祸莫大于不知足，咎莫大于欲得。"祸患没有比不知足更大的了，欲望会引人进入没有止境的求利之路，而没有止境地追求利益，贪婪无度，终会带来恶果。

从前，有两位很虔诚、很要好的佛教徒，决定一起到遥远的圣山朝圣。两人背上行囊、风尘仆仆地上路，发誓不达圣山朝拜，绝不返家。

两位教徒走了两个多星期之后，遇见一位白发年长的圣者。这圣者看到两位如此虔诚的教徒千里迢迢要前往圣山朝圣，就十分感动地告诉他们："从这里到圣山还有十天的脚程，但是很遗憾，我在这十字路口就要和你们分手了，而在分手前，我要送给你们一个礼物。什么礼物呢？就是你们当中一个人先许愿，他的愿望一定会马上实现；而第二个人，就可以得到那愿望的两倍。"

此时，其中一个教徒心里一想："这太棒了，我已经知道我想要许什么愿，但我不要先讲，因为如果我先许愿，我就吃亏了，他就可以有双倍的礼物！不行！"而另外一教徒也自忖："我怎么可以先讲，让我的朋友获得加倍的礼物呢？"于是，两位教徒就开始客气起来。"你先讲嘛！""你比较年长，你先许愿吧！""不，应该你先许愿！"两位教徒彼此推来推去，"客套地"推辞一番后，两人就开始不耐烦起来，气氛也变了，"你干嘛！你先讲啊！""为什么我先讲？我才不要呢！"

两人推到最后，其中一人生气了，大声说道："喂，你真是个不识相、不知好歹的人耶，你再不许愿的话，我就把你的狗腿打断，把你掐死！"

另外一人一听，没有想到他的朋友居然变脸，来恐吓自己！于是想，你这么无情无义，我也不必对你太有情有义！我没办法得到的东西，你也休想得到！于是，这一教徒干脆把心一横，狠心地说道："好，我先许愿！我希望——我的一只眼睛——瞎掉！"

这位教徒的一只眼睛马上瞎掉了，而与他同行的"好朋友"的两只眼睛也都立刻瞎掉了！

这个故事中的那两位教徒的下场多么可悲，而导致他们悲惨结局的恰恰是他们心中的那种挥之不去的欲望。

其实，人人都有欲望的机心，都想过美满幸福的生活，都希望丰衣足食，这是人之常情。但是，如果把这种欲望的机心变成不正当的欲求、变成无止境的贪婪，那我们就无形中成了机心的奴隶。在欲望的支配下，我们不得不为了权力、为了地位、为了金钱而削尖了脑袋想办法。我们常常感到自己非常累，但是仍觉得不满足，因为在我们看来，很多人比自己生活得更富足，很多人的权力比自己大。所以我们别无出路，只能硬着头皮往前冲，在无奈中透支着体力、精力与生命。

但是，古往今来能够做到不追名逐利的又有几人，欲望之泉总是让人甘之若饴，无法摆脱。如果想摆脱欲望之牢，就要做一个简朴之人。一个不贪图奢华生活的人，可以轻易避免“腐败”腐蚀心灵。生活上的腐败是小事，内心的腐坏则是大事。

“志高以求是，心平以守节。”名、利、权、势，都当它是身外之物、过眼云烟，得意淡然，失意泰然。世人多困于名利之争，其实也不过尔尔。这生不带来、死不带去的东西，都随时间的流失化作尘土。铭刻在人心的，往往是那些洒脱无所求的人。

一个僧人惊慌失措地从树林中跑过来，刚好碰到两个非常要好的朋友在林边漫步。他们问僧人说：“你这样惊慌失措是因为什么？”

僧人说："太可怕了，我在树林中挖出了一堆黄金！"

这两个人心里禁不住说："这个傻瓜！挖出了黄金，这么好的事他居然说太可怕了，真是天大的傻瓜！"于是他们又问道："在哪里挖出来的？你告诉我们吧！"

僧人说："这么厉害的东西，你们不怕吗？它会吃人的！"

那两个人不以为然地说："我们不怕，你就告诉我们在什么地方能够找到它吧！"

僧人说："就在树林最西边的那棵树下面。"

两个朋友立刻找到那个地方，果然发现了那些金子。

一个人对另一个人说："那个僧人真是太愚蠢了，人人都渴望的黄金在他眼里居然成了吃人的东西！"另外一个人也随声附和地点头称是。

他们于是讨论怎么把这些黄金拿回去。其中一个说："白天把它拿回去不太安全，还是晚上拿回去好一些，我留在这里看着，你去拿些饭菜来，我们在这里吃完饭，然后等到天黑了再把黄金拿回去。"

另外一个人就照他说的去做了。留下的那个人心想："要是这些黄金都归我所有该多好呀！等他一回来，我就用木棒把他打死，这些黄金就全是我的了。"

回去拿饭的人也在想："我回去先吃饱饭，然后给他的饭里下毒，他死了，黄金就全是我的了。"

他刚一到那里，另一个人就从背后狠狠地用木棒将他打死了，然后说道："亲爱的朋友，是黄金逼迫我这样做的。"

然后他就拿起那个人带来的饭，狼吞虎咽地吃起来了，没过多久，他感觉肚子里像火烧一样，他知道自己中毒了，临死的时候他说道："僧人说的话真是太对了！"

金钱不是邪恶的根源，唯有对金钱的贪欲，即对金钱过分的、自私的、贪婪的追求，才是一切邪恶的根源。对于金钱合法地获取和拥有，可以让人心情愉快。排除欲念，人生才能取得成功。常言道，知足常乐。唯有超脱诚实，不为欲念所累，才能坦荡自由地生活。你所强求的不过沧海一粟，又何必为难自己呢？

2. 众逐利而富寡，贤让功而名高。利大伤身，利小惠人，择之宜慎也。天贵于恒，人贵于明，动之有戒也。

【译文】

虽然追逐利益的人很多，但富贵的人却很少；如果贤明的人出让功劳，那他的名望就会增高。利益大的容易伤害自身，利益小的却能给自己带来实惠，所以选择它们应该慎重。天道贵在有其规律，人贵在明智有节，所以行动要遵守戒规。

【智慧解读】

人为财死，鸟为食亡。财名这只拦路之虎，它美丽耀眼的毛发确实诱人，当你骑上去的时候，感觉轻捷舒畅、飘飘欲仙，可你没办法使它停下脚步，最终它会将你摔下万丈深渊。

庄子在《徐无鬼》篇中说：“钱财不积则贪者忧，权势不尤则夸者悲，势物之徒乐变。”大意是说，追求钱财的人因钱财积累不多而忧愁，贪心者永不满足；

追求地位的人常因职位还不高而暗自悲伤；迷恋权势的人，特别喜欢社会动荡，以便从中扩大自己的权势。

从前在普陀山下有个樵夫，世代以打柴为生，他整日早出晚归，风餐露宿，但仍然常常揭不开锅。于是他老婆天天到佛前烧香，祈求佛祖慈悲，帮助他们一家早日脱离苦海。

真是苍天有眼，大运降临。有一天他突然在大树底下挖出了一个金罗汉，转眼间他就成了个百万富翁！于是他买房置地，宴请宾朋，好不热闹。亲朋好友都像是一下子从地下冒了出来似的，纷纷向他表示祝贺。

按理说樵夫应该非常满足了，总算知道荣华富贵是什么滋味了。可他只高兴了一阵子，就又犯起愁来，吃睡不香，坐卧不安。老婆看在眼里，不禁上前劝道："现在吃穿不缺，又有良田美宅，你为什么还发愁？就是贼偷，一时半会儿也偷不完。你这个丧气鬼！天生受穷的命！"

樵夫听到这里，不耐烦了："你个妇道人家懂得什么？怕人偷只不过是小事，关键是十八罗汉我才得到了其中一个，那十七个我还不知道埋在哪里呢，我怎么能安心？"说完便又像只被烤熟了的鸭子，瘫软在床上。结果这个樵夫抱了个金罗汉还整日愁眉不展，落得疾病缠身，最终与幸福生活擦肩而过。

说到底，这位拥有金子的暴富樵夫，精神上还是一个乞丐。乞丐都不是天生的，贪婪也并非是遗传所致，它是个人在后天环境中受病态文化的影响，形成自私攫取、不满足的价值观而出现的不正常行为。贪婪没有满足的时候，越加满足，胃口就越大。不控制好贪欲，终会导致引火焚身。

贪婪的人每天都生活在殚精竭虑、费尽心机的算计中，更有甚者可能会不择手段、走极端。而贪婪的人在这个过程中是无法知道贪婪的后果的，因为贪欲早已迷惑了他的心，遮住了他的眼，他不知道自己该在什么时候停下来，他就像一只拉磨的驴，只顾一个劲儿地往前走。

贪欲是魔鬼免费赠送的一剂穿肠毒药，谁能免疫？饮鸩不能止渴，快快从这乌烟瘴气的泥潭中脱身吧，因为“贪”正是产生人生痛苦的最大根源。

清朝开国初期的皇叔父摄政王多尔衮的性格极为贪婪，可以说，这个“贪”字驱使他一生都在争权夺势、追名逐利，陷于女色而不能自拔。

多尔衮对于皇权之争是煞费苦心、六亲不认的。他的哥哥皇太极去世后，虽然他已拥立皇太极之子福临为帝，即顺治为帝，并封皇太极的侧福晋博尔济吉特氏为孝庄文太后，但多尔衮欲篡夺皇位的野心丝毫没有消除。

后来，清兵入关进京，亡国的明朝众臣拜见多尔衮时呼“万岁”，竟然只知新建的清国有个摄政王多尔衮，而不知还有个皇帝福临。当孝庄文太后与顺治帝到北京皇宫时，孝庄文太后看到多尔衮无视皇上，独揽大权，结党营私，排除异己的种种迹象，便清醒意识到朝廷这种险恶的形势时刻在威胁着幼子福临的皇位。孝庄文太后在不得已的情况下，便依照当时满族“父死则妻其后母，兄死则妻其嫂”的习俗，下嫁给多尔衮，以此来挟制多尔衮的野心。

而且，聪明的孝庄文太后为了稳住与抚慰多尔衮那颗贪婪的心，还是让其儿子顺治帝封多尔衮为皇叔摄政王。可是，多尔衮对孝庄文太后母子的这一恩赐并不买账。他联合了亲信，加封自己为“皇父摄政王”，将自己的权力和地位提高到极点，与皇帝位于同一台阶，甚至有过之而无不及。

随着权力的膨胀，多尔衮的胃口也日益增大，极尽追名逐利之事，把福临之所以能登上皇位的功劳持为己有，把各王公在入主中原前后的战功也尽归于己。进北京后，他所用的侍卫、仪仗、音乐等待遇均与皇帝一样；所建的王府完全是按照皇帝宫殿的规格，其华丽的程度有甚于皇宫。

不仅如此，多尔衮的贪欲成性还表现在疯狂地占有女色上。他的私生活放荡不羁，荒唐至极，他不仅霸占了佳丽数千，而且还打起了异国他乡美女的主意，弄得邻国也鸡犬不宁。

正所谓利深祸速，顺治帝将多尔衮的罪状公之于世，并没收了多尔衮的所有财产，对多尔衮本人则处以死刑。

可以说，多尔衮的贪欲之心的确是超出常人的，将一切功劳尽归己有，从而以功臣自居，谋篡夺位，争名夺利，贪占女色，无所不贪。事物发展到极端，就会朝相反的方向转化，即所谓“物极必反”。多尔衮之贪婪惹起人神共愤，即使他死了也没逃脱被后人剜坟掘墓、鞭尸示众的命运。

名是缰，利是锁，尘世的诱惑如绳索一般牵绊着众人，一切烦恼、忧愁、痛苦皆由此来。若想摆脱，首先要舍弃名利。因此，我们切勿让贪婪蒙蔽了我们原本纯洁的心灵。

3. 众见其利者，非利也。众见其害者，或利也。君子重义轻利，小人嗜利远信，利御小人而莫御君子矣。

【译文】

许多人都能看见的利益，就不是利益。许多人都认为有害的东西，可能就是利益。君子重视道义而轻视利益，小人贪恋利益而远离信用，利益可以驱使小人而不能驱使君子。

【智慧解读】

追名逐利是官场上的人进取的动力所在，但是如果人生仅仅以此为目标，就会为蝇头微利、蜗角虚名所左右，难以达到更为高远的境界。大家都能看见的好处，可能并不是好处；相反，有时候大家认为是有害的东西，可能就是好的东西。在追求名利的道路上，君子会舍去利益而重视道义，小人则为了贪图利益而远离道义。

铁打的官场，流水的官，每一个政治家都是这个舞台上的匆匆过客，他们逃不过后人的评论。反观现实，每一个人又何尝不是沧海一粟？但是每个人都尽可能地想在世界上留下自己完美的痕迹。每个人如果也想做到这样的境界，那就应像曾国藩那样，与贪婪、贪财永隔一线，去找寻涤荡自己生命的清风。

曾国藩攻下武昌后，朝廷派来兵部郎中满人德音杭布，名为效力，实为监察。他进入曾国藩的卧室时，竟不敢相信自己之所见。“只见屋内除一张床、一张书案、两条木凳、三只大竹箱外，再无别物。床上蚊帐陈旧黑黄，低矮窄小，仅可容身。床上只铺着一张半旧草席，草席上垒着一床蓝底印花棉被，棉被上放着一件打了三四个补丁的天青哈拉呢马甲。屋里唯一饰物，便是墙上挂的当年唐鉴所赠‘不作圣贤，便为禽兽’的条幅。”

德音杭布不由发出感慨：“大人也太俭朴了。”不只国藩曾的屋内装饰简陋，就连他用来装旧衣服的竹箱还是其先祖星冈公时制的，已有四十余年的历史了。曾国藩平时吃饭时只有一个荤菜，不来客人从不给自己加菜，因此也被人笑称为“一品大人”。

他不仅如此要求自己，也以此来教育儿女。他自己说：“予自三十岁以来，即以做官发财为可耻，以官囊积金遗子孙为可羞可恨。故私心立誓，总不靠做官发财以遗后人，神明鉴临，予不食言。”还写诗道：“但留德与能，教儿须自行。”

曾国藩认为，做官重在于守廉。一事想贪，则可能事事想贪；一时想贪，则可能时时想贪。如此恶性循环下去，自己就会被贪婪所吞没，因此他洁身自好，为官不求钱财。唯有品德才是能伴随一个人一生的最可宝贵的财富，金银珠宝不过是身外之物。因此他鼓励孩子自立，让儿女们懂得，唯有靠自己的努力和奋斗才能实现人生的价值。曾国藩后代人才辈出，其两个儿子分别成为我国著名的外交家和数学家，其孙子及曾孙中有不少成为科学家、教育家、学者和诗人，可见曾国藩的这份精神遗产之丰厚。

人的品质修省是从实际的利益中体现和磨炼出来的。现在提倡“吃苦在前，享乐在后”，表现的同样是

"德在人先，利居人后"的境界。从辩证的角度来看，乐的结果是苦，苦的结果是乐，苦乐相循是自然法则，一个不能吃苦的人万事都不能成功，苦尽才能甘来。名利地位固然能鼓励人奋发向上，但是假如过分重视名利，有时也会给人带来无限的苦恼。从道德修养来看，在名利享受上不争先、不过分；在德业修为上时时提高，是个人走向品德高尚的具体表现，含有一种精神的充实和追求的愉悦。

何为浩然正气，其实就是至大至刚的昂扬正气，是以天下为己任，担当道义，无所畏惧的勇气，是君子挺立于天地之间、无所偏私的光明磊落之气，这三气构成了浩然之气。这种浩然正气体现着一种伟大的人格精神之美。这种精神之美在《菜根谭》中也有体现，所谓："宠利毋居人前，德业毋落人后，受享毋逾分外，修持毋减分中。"讲的就是不要因一时的名利而耽误积德修身的德业，享受时不要觊觎本分以外的事物，修养时也不能放弃自己应该遵守的原则。只有持之以恒、身体力行的品德修养，才能最终修成正果，并成为我们可以立身处世的人格资本和魅力。这一点是经过无数历史先例证明过的。

晋代著名学者皇甫谧，在地方享誉盛名，后来深受皇帝赏识。但是当皇帝要授予他官职时，他却向皇帝上奏表示自己不愿为官，并向皇上陈述了母亲的教导，即读书是为了积德，也是为了更好地修身。

原来，皇甫谧年轻时每天过得浑浑噩噩，既不照顾家业，也不用心读书，还经常和一些游民鬼混，滋事扰民，招致很多人的厌恶。

他的母亲对无所事事的儿子又气又忧。为了让他悟到人生的真谛，母亲把他叫到身边，说："你今年也有二十岁了，看到别人的儿子为生活奔走，而自己的儿子却整日无所事事，这怎么让我不寒心呢？我朝思夜盼有一天你能成为有用的人才，可是你不求上进，不爱读书也就罢了，还不主动找点活计，对你有什么办法啊！"

听完母亲的这番话，皇甫谧心头微微作痛，便说："今后我一定会潜心读书，让您过上好日子。"

皇甫谧本以为这样说了，会赢得母亲的欣慰，但母亲严肃地看着自己，说："学习读书是修身积德的事，靠读书获得物质生活的改善是不符合修身之道的。你想为了我努力读书的想法固然很好，但是只有放下这些外化的目的，读书才能达到最本真、最有益于你的效果，这和任何人都是无关的。"

皇甫谧听完这番话后，深为母亲的思想修为感动，从此改头换面，虚心求教，勤奋修身。即使卧病在床，皇甫谧也不间断学习。这样日积月累，他不仅学业有成，而且修养也达到了很高的境界。

皇上听完皇甫谧的此番陈述后，便说："以立身修德为目的的求学最大。"从此以后对皇甫谧更加赏识。

在利禄面前皇甫谧本可以让德业后退一步，但他选择了让名利后退一步。面对主动送上门的名利，他本可以心安理得地接受，可是接受了名利，就等于违背了读书的初衷。所以他的拒绝同时也是对修身养性的坚守。这既得益于他母亲的教诲，也得益于他对自己德业有始有终的追求。这一举动何尝不是一种浩然正气的外在体现？

为人需要养正气修德业。良好的德业修养是人的精神“脊梁”，是抵御歪风邪气的“屏障”。正气长存，则邪气却步、阴霾不侵；德业不废，则清风浩荡、乾坤朗朗。要保证德业跟进就必须“一日三省吾身”，做到自重、自省、自警、自励，在名利面前保持冷静清醒，不要急于与人家争权夺利，为物质利益斤斤计较，更不要采取不正当手段去强夺分外之利。时时处处让德业为事业保驾护航，使正气日盛，邪气渐消，才是君子之道。

4. 利无尽处，命有尽时，不怠可焉。利无独据，远有兴衰，存畏警焉。

【译文】

利益没有穷尽的地方，生命却有完结的时候，只要不懈怠就可以。利益不能独自占有，长期来看有兴有衰，只要心存畏惧就能保持警醒。

【智慧解读】

追逐利益没有结束的时候，因为在这个世界上，利益本身就是无穷无尽的，但是我们的生命却有终结的时候。既然利益不能独自全部占有，那就要做到“君子爱财，取之有道”了。

君子爱财，取之有道，前半句中的爱财，是对现实的描述。这世上不单单是君子，任何人都没有办法抵抗金钱的诱惑。就算那些大声说出或表现出视金钱为粪土的人，这辈子也离不开标有符号的纸。后半句的取之有道，才是称人为君子的关键。爱财之人只有做到正当合法的取财，才叫作君子。所以，爱财之人不可耻，真正可耻的是违法犯纪，为了赚钱坑害他人的人。勤勤恳恳靠自己的双手去赚取每一分钱，并将之用在正途上，就能成为君子。

《左传》记载，宋襄公十五年（前637），一个善于阿谀奉承的人拿一块玉石献给子罕，子罕怎么也不肯接受。那人便花言巧语地说："这宝贝落到您老先生手中，挂在您的身上，是最相称最合适的呀！平凡的人是不配佩挂它的！"

子罕说："我把不贪图财物看成是宝，你把玉石看成是宝。假如你把它送给我，我们各自都失去了自己的宝，还不如我不要你的宝玉，这样我们两个人都拥有自己的宝贝。"

子罕为政清廉，以不贪宝玉的高尚情操，受到人们的普遍赞扬，被传为千古佳话。与此相反，财迷心窍的人只会招来千古耻笑。

有一个齐国人很想得到黄金。他听到有人家藏万两黄金，羡慕不已。他绞尽脑汁，昼思夜想，寝食难安，也没有办法得到黄金。

一天，他清早起来，穿衣戴帽，打扮得整整齐齐，要到市场上去碰碰运气。市场上人来人往，十分热闹。道路两旁店铺林立，货物琳琅满目。这个齐国人无心观看，因为他一心只想如何得到黄金的事。走着走着，忽然眼睛一亮，他看到玉器铺旁边有一家金店。

只见柜台上摆着大块小块的黄金，还有各式各样的金器、金饰，闪闪发光，黄澄澄一片。他走上前去，抓起一把黄金，撒腿就跑。金店的伙计连忙追了上来，高喊："快抓住抢劫黄金的强盗！"

一个官吏闻声赶到，把这个齐国人当场抓住，官吏审问他说："这么多人都在这里，你抢走人家的黄金，这是为什么？"

他回答说："在我抓黄金的时候，没有看见人，只看见了黄金啊！"

多少人因为难以抵制物欲的诱惑，踏上了不归路，从而晚节不保。人的修养是一个漫长的坚持和追求的过程，一桶牛奶里倒进一杯脏水就成了一桶脏水，人一旦放弃了对自己操守的坚持，就容易自暴自弃，从而失去自己最珍贵的宝贝。

从生存的角度来看，金钱的重要性无可非议。然而，物质上的富有只是表面的富有，精神上的富有才是真正的富有。仔细审视自己，人只有在不断努力中逐渐成长，才会发现隐藏在物质利益背后最重要的东西。

"君子爱财，取之有道"，人们对阳光下的财富心怀敬意，因此，阴暗中的财富自然会遭到人们的质疑。求富贵、去贫贱都应以义为准绳，以义导利，以义去恶，否则将适得其反。

战国时代，孟子名气很大，府上每日宾客盈门，其中大多是慕名而来的求学问道之人。有一天，孟子府上接连来了两位神秘人物，一位是齐国的使者，一位是薛国的使者。对这两位贵客，孟子自然不敢怠慢，小心周到地接待他们。

齐国的使者给孟子带来黄金一百两，说是齐王所赠的一点小意思。孟子见其没有下文，坚决拒绝齐王的馈赠，使者灰溜溜地走了。

隔了一会儿，薛国的使者也来求见。他给孟子带来五十两金子，说是薛王的一点心意，感谢孟先生在薛国发生兵难的时候帮了大忙。

孟子吩咐手下人把金子收下。左右的人都十分奇怪，不知孟子葫芦里装的是什么药。

陈臻对这件事大惑不解，他问孟子："齐王送你那么多的金子，你不肯收；薛国才送了齐国的一半，你却接受了。如果你刚才不接受是对的话，那么现在接受就是错了，如果你刚才不接受是错的话，那么现在接受就是对了。"

孟子回答说："都对。在薛国的时候，我帮了他们的忙，为他们出谋设防，平息了一场战争，我也算个有功之人，为什么不应该受到物质奖励呢？而齐国人平白无故给我那么多金子，是有心收买我，君子是不可以用金钱收买的，我怎么能收他们的贿赂呢？"

孟子不收不义之财，因为他明白，一旦收受贿赂，自己就将永远受制于人。人生的辩证法是无情的，有得必有失，有时想得到太多，反而失去更多。

对于钱财，取和不取的分界，在于是否违背自己的为人处世原则。过于贪心的人不仅享受不到幸福，弄不好还会把自己的生命也搭进去。正直的人不会吝啬接受财富，但对不义之财从不沾惹。

爱财之心人皆有之，而君子爱财取之有道。这样的财来得心安理得，来得理所当然，对自己、对他人都没有坏处，用起来自然身心舒坦，别人也无从挑剔。

所以，人应该坚持自己的操守，不要因为身外之物而丢弃了自己的宝贝。

还是那句老话，不义之财，取之无用。爱财之人，就要踏踏实实用自己的双手去创造。

辩卷四

1. 物朴乃存，器工招损。言拙意隐，辞尽锋出。

【译文】

事物朴实无华才能得到长存，器具精巧华美就会招致损伤。不善言辞才能隐藏真实的意思，话语说尽就会显露锋芒。

【智慧解读】

著名散文家朱自清先生说：“人生不外言动，除了动就只有言，所谓人情世故，一半儿是在说话里。”的确，决定一个人命运的往往不是他所处的环境，而是他是否懂得说话艺术，是否懂得在社交场合从容自若地与各色人巧妙周旋，口吐莲花，通晓何时甜言蜜语，何时嘘寒问暖……

据说，墨子的学生曾经问墨子：“话是说得多好，还是说得少好？”墨子说：“你看田里的青蛙，整天叫个不停，却没有人理会它，而公鸡每天只在天快要亮的时候叫一两下，人们却都很注意它。可见，话不在说得多，而在说得有用。”

话说多了就会变成话痨，惹人厌，任何事情都是贵精而不贵多，古语里的“言多必失”讲的就是这个道理。话说多了并没有多少好处。话说得越多，暴露的不足和缺点也就越多。所以说，讲话不在多，而在于精，不在量，而在于质。一个真正懂得交际的人，往往不是因为他说了多少，而是在于他说了什么。

信陵君，名魏无忌，战国时代魏国人。信陵君以礼贤下士之为人、窃符救赵之义勇赢得了广泛盛誉，是赫赫有名的“战国四公子”之首。但就是这样一位仁义忠勇之君子，最后却是“见疑于魏王”，只能整日以美女醇酒为伴，最终郁郁而死。身为同父异母的哥哥，魏王为何会对信陵君起疑心呢？其中是有玄机的。

信陵君知名度极高，因仰慕信陵君之名而前往的门客达三千人之多。

有一天，信陵君正和魏王在宫中下棋消遣，忽然接到报告，说是北方国境升起了狼烟，可能是敌人来袭的信号。魏王一听到这个消息，立刻放下棋子，打算召集群臣共商应敌事宜。坐在一旁的信陵君则不慌不忙地阻止魏王，说道：“先别着急，或许是邻国君主进行围猎，我们的边境哨兵一时看错，误以为敌人来袭，所以升起烟火，以示警诫。”

过了一会儿，又有报告说，刚才升起狼烟报告敌人来袭是错误的，事实上是邻国君主在打猎。

于是魏王很惊讶地问信陵君：“你怎么知道这件事情？”信陵君很得意地回答：“我在邻国布有眼线，所以早就知道邻国君王今天会去打猎。”

从此，魏王对信陵君渐渐地疏远了。后来，信陵君受到别人的诬陷，失去了魏王的信赖，晚年沉湎于酒色，终致病死。

一言一失，也许信陵君心中并不明白为何魏王会突然疏远了自己，其实，他之一句“我在邻国布有眼线，所以早就知道邻国君王今天会去打猎”让魏王感到了无比的警觉与恐惧，作为臣子能有这种过人的心机与机敏，实在是一件很可怕的事。邻国之事了如指掌，何况国内之事呢，作为君王怎会没有这种担心，门客三千、声名显赫的信陵君一旦有谋反之心，君王之位还不是探囊取物般容易？

可见，人的心理是相当微妙的，也许你一句无关痛痒的话，在他人那里可能会有着相当不一样的含义，所以说与不说，说又如何说，都要仔细揣摩人之心理，做出一番斟酌之后再做决定。

在陌生人面前，或者智者在座时，如果我们话说多了，便是不打自招地暴露了自己的弱点，也失去了一个获得智慧和经验的机会。话要说得少而且说得好，因此，在我们的人生中，有两种训练是不可少的，那就是沉默与优美而文雅的谈吐。如果我们没有机智的谈吐，又不会适时沉默，是很不幸的。我们常因说错话而后悔，所以，当你对某事无深刻了解的时候，最好还是保持沉默！

多说话不见得对自己有利，有时“沉默”往往比“滔滔不绝”更有力量。这就需要你有一个睿智的大脑，要懂得“多说多错，少说少错，不说不错”这个道理，这样才可以博得别人的好感，才会给他人一种稳重、值得信任的感觉。同时，也能避免暴露自己的缺点，可以从别人的口中获得重要的讯息，从而达到自己的目的。

其实，言语谨慎是十分必要的。如果一个人总是滔滔不绝地讲话，说得多了，自然而然便会暴露出来很多问题。而且，话多的时候难免会涉及其他人和事。而又由于当时所处的环境不同，人的心理感受不同，同一句话由于地点、语气的不同，所表达的情感也不尽相同，别人就难免会对你所说的话产生各种各样的误解，从而招来很多不必要的麻烦。

南北朝时，贺若敦为晋的大将，自以为功高，不甘心居于同僚们之下，看到别人做了大将军，唯独自己没有升迁，心中十分不服气，口中多有抱怨之词，决心好好干它一场。

不久，他奉调参加讨伐平湘洲战役，打了胜仗之后，全军凯旋，这应该算是为国家又立了一大功吧，他自以为此次必然要受到封赏，不料反而被撤掉了原来的职务，为此他大为不满，大发怨言。

晋公宇文护听了以后，大为震怒，把他从中州刺史任上调回来，迫使他自杀。临死之前他对儿子贺若弼说："我有志平定江南，为国效力，而今未能实现，你一定要继承我的遗志。我是因为这舌头把命都丢了，这个教训你不能忘记呀！"说完，便拿起锥子，狠狠地刺破了儿子的舌头，想让他记住这血的教训。

的确，灾祸往往出自于口，无论你身处什么位置，也不管你财力、势力有多么雄厚、强大，口既能帮你平步青云，也能让你遗臭万年。管不好自己的嘴就相当于在自己身上绑了一颗随时都有可能爆炸的定时炸弹。

在弘一法师的好友眼中，弘一法师给人的大多都是寡言君子的形象。看来，弘一法师是真正理解了中国那句古话："言多必失。"

有些时候，讲者无心，听者有意，这样便很容易产生各种误会，在无形中结了许多怨恨，招致以后的果报。

鬼谷子说："口可以吃饭喝水，不可以多话。"意思是克制它不乱说话。程明道说："道德提升，言语自然简洁。"意思是说，有道德的人，自然寡言。朱晦翁说："觉察自己的话多了，就要检点。"意思是说，话要适可而止，才不至失言。古人告诫说："凡是丧身亡家的人，因说话起祸的，占了十之八分。"

头脑要做人的主人，嘴巴要做人的客人。有人说得好："悟性通天的人，说出话来很微妙；智慧高超的人，说出话来很简明；品行贤能的人，说出话来很清楚；芸芸众生，说出话来很繁杂；品德较差的人，说出话来很狂妄。"

人在高兴状态下，容易轻许诺言；人在醉酒状态下，容易胡言乱语；人在愤怒状态下，容易恶语相加；人在忧郁状态下，容易消极弱言；人在烦躁状态下，容易语无伦次……

的确，喜时之言多失信，怒时之言多失礼。正所谓多说多错，少说少错，不说不错。在谈判的时候，也许你磨破嘴皮也达不到预期的效果，因为你说得越多，错误就越多，对方就越不相信你，最后也难以达到预定的效果，但有的人不必大费口舌就能轻而易举地说服对方，这是因为他们能够抓住对方心理的弱点，把话说到对方心坎里。

2. 识不逾人者，莫言断也。势不及人者。休言讳也。力不胜人者，勿言强也。

【译文】

见识不能超过别人的人，不要说判断的话。势力不如别人的人，不要说让人忌讳的话。力量不如别人的人，不要说勉强自己的话。

【智慧解读】

立身处世，小心谨慎，每做一事，不仅要为自己着想，也要为别人着想；既要看眼前，也要为子孙后代考虑，多为自己的儿孙积德。如果为达目的不择手段，只图自己一时之欢，做伤天害理的事，赚不仁不义的钱，就等于给子孙酿祸，给自己的前程埋下败笔，到那时真是悔不当初噬脐莫及了，古兵法中也有所谓“一言不慎身败名裂，一语不慎全军覆没”的箴言。

人做事不可以胡作非为，宜谨言慎行明辨善恶。尤其是新出世的年轻人，不要以为因“嘴上没毛办事不牢”就可以原谅自己，不要觉得“初生牛犊不怕虎”，做事就眼高手低，盛气凌人。有时过失成祸并非闯祸人的本意，而是由于经验不足，言行不慎，诚为可惜。

我国古时候，有一个县官很喜欢附庸风雅，尽管画术不佳，但是兴致很高。他画的虎不像虎，反而像猫。并且，他还每画完一幅画，都要在厅堂内展出，让众人评说。大家只能说好话，不能说不好听的话，否则，就要遭受惩罚，轻则挨打，重则流放他乡。

有一天，县官又完成了一幅“虎”画，悬挂在厅堂，召集全体衙役来欣赏。

县官得意地说:“各位瞧瞧，本官画的虎如何？”

众人低头不语。县官见无人附和，就点了一个人说:“你来说说看。”

那人战战兢兢地说:“老爷，我有点怕。”

县官:“怕，怕什么？别怕，有老爷我在此，怕什么？”

那人:“老爷，你也怕。”

县官:“什么？老爷我也怕。那是什么，快说。”

那人:“怕天子。老爷，你是天子之臣，当然怕天子呀！”

县官:“对，老爷怕天子，可天子什么也不怕呀！”

那人:“不，天子怕天！”

县官:“天子是天老爷的儿子，怕天，有道理。好！天老爷又怕什么？”

那人:“怕云。云会遮天。”

县官:“云又怕什么？”

那人:“怕风。”

县官:“风又怕什么？”

那人:“怕墙。”

县官:“墙怕什么？”

那人:“墙怕老鼠。老鼠会打洞。”

县官:“那么，老鼠又怕什么呢？”

那人:“老鼠最怕它！”那人指了指墙上的画。

故事中，被点名的差役没有直接说县太爷画的虎像猫，而是接二连三地抬出第三方，绕着弯说话。让县官在众人面前保住了脸面，又让自己避免了一场灾难。

人常说:“良言一句三冬暖，恶语伤人六月寒。”一言可以兴邦，一言可以丧邦；一句话可以把人说笑，一句话也可以把人说恼。人与人之间性格各方面都有差别，独特的个性、爱好、知识结构、心理态势，使某个人只能是“这样”而不能是“那样”。因此，与人交往，要懂得绕一点儿弯以免触犯他人的禁忌，为自己带来麻烦。

正所谓，到什么庙里烧什么香。不同的庙里有不同的神，不同的神有不同的爱好，就像不同的人有不同的性情一样，真正懂得“敬神”的人，就会投其所好，对不同的神烧不同的香，这样才能令“神”心大悦。言语能够引起风波，而行动会直接带来结果，做人做事，需要懂得忍耐矜持、谨言慎行，有时不妨多听听别人是怎么说的，这样自然能给自己免去不少祸患和麻烦。

鬼谷子曾说，当对方的形迹未显时，就用圆通灵活的手法去引导他，当对方的形迹已经显露，就用一定的法则去制衡他。先声夺人，彰显出威力，别人亦会叹服。

千百年来，诸葛亮在人们的心中已经成为智慧的化身，其传奇性故事一直为世人所传诵。诸葛亮娴熟韬略、多谋善断、长于巧思、善于论辩。连吴抗曹的成功很大程度上就是得力于诸葛亮那精妙绝伦的口才。

曹操统一北方后，开始率领大军南征，刘备势单力薄，无力反击，大有坐以待毙之势。以刘备自己的力量，绝对无法与曹操的势力相抗衡，解决的办法只有一个，就是与江东的孙权联手。此时，诸葛亮自愿出使到江东做说客，他并不是像一般人那样低声下气地求孙权，却采用“反客为主”的方法，表现出一副强硬的态度，硬是激发了孙权的自尊心。

当时，东吴孙权自恃拥有江东全土和十万精兵，又有长江天堑作为天然屏障，大有坐观江北各路诸侯恶斗的态势。他断定诸葛亮此来是做说客，采取了一种居高临下的姿态等待着诸葛亮的哀求。

不想诸葛亮见到孙权，开门见山地说道:“现在正值天下大乱之际，将军你举兵江东，我主刘备募兵汉南，同时和曹操争夺天下。但是，曹操几乎将天下完全平定了，现在正进军荆州，名震天下，各路英雄尽被其所网罗，因而造成我主刘备今日之败退，将军你是否也要权衡自己的力量，以处置目前的形势？如果贵国的军势足以与曹军相抗衡，则应尽快与曹军断交才好。”诸葛亮只字不提联吴抗曹的请求，他知道孙权绝不会轻易投降，屈居曹操之下。孙权听完诸葛亮一席话后，虽然不高兴，但不露声色，反问道:“照你的说法，刘备为何不向曹操投降呢？”

诸葛亮针对孙权的质问，答道:“你知道齐王田横的故事吗？他忠义可嘉，为了不服侍二主，在汉高祖招降时不愿称臣而自我了断，更何况我主刘皇叔乃堂堂汉室之后。钦慕刘皇叔之英迈资质，而投到他旗下的优秀人才不计其数，不论事成或不成，都只能说是天意，怎可向曹贼投降？”

虽然孙权决定和刘备联手，但面对着曹操八十万大军的势力，心里还存在不少疑惑——诸葛亮看出这一点，进一步采用分析事实的方法说服孙权。

“曹操大军长途远征，这是兵家大忌。他为追赶我军，轻骑兵一整夜急行三百余里，已是‘强弩之末’。且曹军多系北方人，不习水性，不惯水战。再则荆州失守，城中百姓为曹操所胁，绝不会心悦诚服。现在假如将军的精兵能和我们并肩作战，定能打败曹军。曹军北退，自然形成三分天下的局面，这是难得的机会。”

于是，孙权遂同意诸葛亮提出的孙刘联手抗曹的主张，这才有后来举世闻名的赤壁之战，诸葛亮真不愧为说服高手。

“诸葛亮说吴侯”一直是《三国演义》中让读者津津乐道的一个故事，面对东吴君主的刁难，诸葛亮的机智和敏锐让人敬佩，更让人为之折服。身在东吴，他毫不畏惧，把自己的才智在孙权面前发挥得淋漓尽致。

其实，人总有一种劣根性，那就是欺软怕硬，遇到弱小的一方总是喜欢以强欺弱，非得把对方逼到无路可退的境地。这就是诸葛亮先声夺人、反客为主的高明之处。诸葛亮谨言慎行，小心翼翼，最终成功地劝服孙权。如果你居于弱势地位，可以效仿诸葛亮的做法，摆出一种居高临下的姿态，先在气势上压倒对方，进而说明形势、言明利害，就有可能让对方屈从或改变主意，从而可以反客为主，占据主动权。

3. 王者不辩，辩则少威焉。智者讷言，讷则惑敌焉。勇者无语，语则怯行焉。

【译文】

称王的人不和人争辩，争辩会减少他的威严。智慧的人说话迟钝，说话迟钝可以迷惑敌人。勇敢的人话并不多，话多会让行动犹豫。

【智慧解读】

与别人看法和意见不一致，就去跟别人争辩，这样的想法是错的。因为在你争辩的过程当中，势必会想办法证明自己是对的，别人是错的。

通常情况下，没有人愿意听到别人对于自己的批评和指正，所以即使我们说的是对的，他也未必能够听进去。再者，争论的过程中，每一方都以对方为“敌”，试图以一己的观念强加于别人而根本不把对方的意见放在眼里，最终一定会伤害彼此之间的情感，引发很多不必要的误解。

美国耶鲁大学的两位教授曾经做过一项实验。他们耗费了七年的时间，调查了种种争论的实态。例如，店员之间的争执，夫妇间的吵架，售货员与顾客间的斗嘴等，甚至还调查了联合国的讨论会。结果，他们证明了凡是主动去攻击对方的人，绝对无法在争论方面获胜。

当别人在和你谈话时，他根本没有准备请你说教，若你自作聪明，拿出更高超的见解，对方绝不会乐意接受。所以，你不可随便摆出要教导别人的姿态。你的同事向你提出一个意见时，你若不能赞同，最低限度要表示可以考虑，但不可马上反驳。要是你的朋友和你聊天，你更要注意，太多的执拗会把一切有趣的生活变得乏味。遇上别人真的错了，又不肯接受批评或劝告时，别急于求成，往后退一步，把时间延长些，隔一天或两个星期再谈吧！如果大家都固执，不仅没有进展，反而互相伤害感情，造成隔阂。

许多人因为喜欢表达不同意见而得罪了同事，所以常常有人认为不要轻易表明不同意见，这种看法是很片面的。只要你的看法是正确的，向别人表达自己的不同意见，不但不会得罪人，而且有时还会大受欢迎，使人有“听君一席话，胜读十年书”之感。

清朝乾隆年间，郑板桥正在外地做官。忽然有一天，收到在老家务农的弟弟郑墨的一封来信。老弟兄俩经常通信，然而这一次非同寻常。原来弟弟想让哥哥出面，到当地县令那里说说情。这一下子弄得郑板桥很不自在。这郑墨粗识文墨，原也不是个好惹是生非之徒，只是这次明显受人欺侮，心里的怨恨实在咽不下去。

原来，郑家与邻居的房屋共用一墙。郑家想翻修老屋，邻居出来干预，说那堵墙是他们祖上传下来的，不是郑家的，郑家无权拆掉。其实，这契约上写得明明白白，那堵墙是郑家的，邻居借光盖了房子。这官司打到县里，尚无结果，双方都难免求人说情。郑墨自然想到了做官的哥哥，想来有契约在，再加上哥哥出面说情，官官相护嘛，这官司就必赢无疑了。郑板桥考虑再三，给弟弟写了一封劝他息事宁人的信，同时寄去了一个条幅，上写“吃亏是福”四个大字。又给弟弟另附了一首打油诗：

千里告状只为墙，

让他一墙又何妨。

万里长城今犹在，

不见当年秦始皇。

郑墨接到信，羞愧难当，当即撤了诉状，向邻居表示不再相争。那邻居也被郑氏兄弟的一片至诚所感动，表示也不愿继续闹下去。于是两家重归于好，仍然共用一墙。这在当地一直被传为佳话。

争来争去，辩来辩去，原来不过是因为一堵墙。郑板桥用“打油诗”的形式告诉大家，如今争个你死我活，却不想修建万里长城的秦始皇都不在了。物能长存，人却短命，不如放下争执，和睦而居吧！

君主一定要品行端正，诚实无欺，要懂得“以德服人”，所以君主与人争辩，就会减少威严，甚至可能丢失性命。“可惜赳赳力绝伦，但知母子昧君臣。到头骄戮难追悔，好谕将来造逆人。”这是冯梦龙感叹春秋时期宋国著名的将领南宫长万抒写的一首诗。很显然，南宫将军不是像历史上的野心家那样为了谋权篡位而弑君，那么问题就变得微妙起来，既然弑君不是为了取而代之，就意味着南宫将军和国君之间有私仇？这样看来，南宫将军弑君这一命案还有许多值得人深思的地方。

周庄王十五年（前682），周庄王病逝。太子姬胡齐继位，为周信王。

讣告送到宋国时，正当宋闵公与宫人在蒙泽游玩，大将南宫长万正在表演一种掷戟（此武器是将戈和矛结合在一起，具有勾啄和刺击双重功能的格斗兵器，杀伤力比戈和矛都要强）的绝技。原来南宫长万是宋国的一员猛将，素以力闻。他有一种绝技，就是将戟抛于数丈的高空，可以准确地用手接住，从来都是万无一失。宫里的人都想观赏他的这一绝活，因此宋闵公就召集南宫长万一同来游玩。于是，南宫长万就奉命施展了一回自己的绝技，宫里的人都夸奖不已。宋闵公稍微有些嫉妒，于是就命令侍卫取来博局（赌桌）与南宫长万赌博，用很大的金斗来盛酒作为惩罚。这博戏却是宋闵公所长。南宫长万一连输了五局，罚酒五斗，已醉到八九分地步了，但是他心中还是不服，于是就请求再赌一局。

这时候，宋闵公嘲笑他说："你不过是被鲁国放回的囚徒，是个失败者，还敢和寡人再赌输赢，真是自不量力！"南宫长万听到这句话心中感到很是惭愧和愤懑，于是不再说话。

这时候，忽然听到宫中侍卫来报："周国有使者到。"

宋闵公问明了使者来意，才知道是为周庄王报丧的，并且已立新王。宋闵公说道："周天子已经更立新王，应当立即派遣使者前去吊唁。"

这时，南宫长万奏请说："微臣从没机会一睹王都之盛，希望可以奉命出使！"

没想到，宋闵公大笑说：“难道我堂堂的大宋国就没有人了，为什么非得派遣一个囚徒呢？”周围的宫人一听也跟着呵呵大笑起来。

此时的南宫长万可谓恼羞成怒，满脸涨得发红，嘴角急剧地颤抖，加上有些醉酒，一时性起，顾不得什么君臣之分，破口大骂道：“无道昏君！你知道囚徒也是会杀人的吗？”

这时的宋闵公也大怒说：“你这囚徒！还敢无礼！”说着便去抢南宫长万之戟，想要刺杀他。只见那南宫长万也不来夺戟，径直地抓起赌桌，一下子就把宋闵公打倒在地，随即挥拳数下，顷刻之间，宋闵公已经血肉模糊，一命归西了。

宋闵公作为堂堂的一国之君就这样死在了南宫长万的重拳之下。可叹，宋闵公继位共十年，只因对臣不肖，一句戏言，遂遭毒手。

南宫长万因怒弑君也是有根源的。想当年，有触山鼎力之神勇的南宫长万也是宋国一员赫赫有名的大将，响当当的汉子。所谓鲁囚的由来是这样的。周庄王十三年（前684）的春天，齐国军队攻打鲁国，结果齐国大败而归。随即齐国就又联合宋国一起来攻击鲁国，希望可以共同击败鲁国。

当时，宋国派遣的就是由猛将南宫长万为主将的大军，齐国则派遣鲍叔牙为主将。两将帅各统大兵，集于郎城。齐军于东北，宋军于东南。

在这种危机的情形下，鲁庄公派出公子偃夜袭宋营。那时宋兵皆在酣睡，全然不觉。公子偃命军中举火，一时金鼓喧天。火光之下，遥见一队猛虎咆哮，宋营人马无不战栗，四下惊慌逃窜。南宫长万虽然勇猛过人，但见人马离散，也只得驱车而退。这时鲁庄公后队已到，合兵一处，连夜追逐。

败到乘邱地方，南宫长万对属下说："今日必须死战，不然难以脱身。"

说完，南宫长万就挺着长戟，直撞入鲁国大军之中，逢人便刺。鲁兵惧其骁勇，无人敢近前。

这时鲁庄公手下大将歂孙生迎上前去，与南宫长万厮打到了一块。但是歂孙生毕竟不是南宫长万的对手，渐渐力疲，很快就要招架不住。鲁庄公见状立马吩咐左右说："歂孙生力亏，我助一臂。取我金仆姑来！"金仆姑者，鲁军府之劲矢也。于是左右捧矢以进，鲁庄公搭上弓弦，瞄得确切，嗖的一箭，正中南宫长万右肩，深入于骨。

此刻，南宫长万用手拔箭，歂孙生乘其手慢，复尽力一戟，刺透南宫长万的左股。南宫长万倒撞于地，急欲挣扎，被跳下来的歂孙生双手紧紧按定，众军一拥上前将其擒住。

鲁庄公大获全胜，鸣金收军。而鲍叔牙得知宋国军队失利后，遂率全军而返。南宫长万肩股被创，尚能挺立，毫无痛楚之态。鲁庄公爱其骁勇，厚礼待之。鲁庄公把南宫长万囚禁在后宫中，过了几个月后，才把他放回宋国。

这便是南宫长万被俘虏的经过，虽然南宫之兵败有他轻敌之疏忽，但是在两军交战的殊死搏斗中，南宫长万的确是一名有万夫不当之勇的猛将，身受重伤被俘也面无痛色，不愧是铁骨铮铮的汉子。正是南宫长万这股骁勇的英雄气概让鲁庄公心生敬意，所以才会将他送回宋国。

南宫长万不慎成为鲁囚，心中很是郁闷不已，如果宋闵公能够宽宏大量地待他，他定当"戴罪立功"，为宋闵公肝脑涂地也在所不惜。可是，没想到有幸回到宋国，等待他的却是国君的冷嘲热讽，愤而杀之的行为的确鲁莽，但也是血性男儿之所为。

所以，作为君主，一定要宽容待人，以德服人，这样下属才能肝脑涂地，尽心服务。

4. 忠臣不表其功，窃功者必奸也。君子堪隐人恶，谤贤者固小人矣。

【译文】

忠臣不会表白他的功劳，偷取他人功劳的人一定是奸臣。君子可以替人隐瞒缺点，诽谤贤德之士的人一定是小人。

【智慧解读】

在现实生活中，口舌之交是人际沟通中最重要一种方式。在这个沟通过程中，言来言去，难免会有失真之语，诽谤就是失真言语中的一种带有攻击性的恶意伤害行为。俗语云：明枪易躲，暗箭难防。也许，在很多时候，诽谤与流言并非我们所能够制止的，甚至有人说有人群的地方就有流言，于是我们对待流言的态度就显得尤为重要。

弘一法师在世时经常喜欢对弟子们说的一句话便是“遇谤不辩”，并且一再地告诫弟子们在面对诽谤时一定要保持应有的理智。当时有一段时间，弘一法师就因为忙于应酬而被人冠之以“应酬的和尚”这五个字，但他并没有去辩解什么，而是一方面检讨自己，一方面对此保持沉默。弘一法师的这种方式无疑为我们提供了一种解决问题的方法。

真理不必称扬，做人不必标榜。

有位修行很深的禅师叫白隐，无论别人怎样评价他，他都会淡淡地说一句:“就是这样吗？”

在白隐禅师所住的寺庙旁，有一对夫妇开了一家食品店，家里有一个漂亮的女儿。无意间，夫妇俩发现尚未出嫁的女儿竟然怀孕了。这种见不得人的事，使得她的父母震怒异常！在父母的一再逼问下，她终于吞吞吐吐地说出“白隐”两字。

她的父母怒不可遏地去找白隐理论，但这位大师置之不理，只是若无其事地答道:“就是这样吗？”孩子生下来后，就被送给白隐，此时，他的名誉虽已扫地，但他并不以为意，只是非常细心地照顾孩子——他向邻居乞求婴儿所需要的奶水和其他用品，虽不免横遭白眼，或被冷嘲热讽，他总是处之泰然，仿佛他是受托抚养别人的孩子一样。

事隔一年后，这位没有结婚的妈妈，终于不忍心再欺瞒下去了，她老老实实地向父母吐露事实：孩子的生父是住在同一幢楼里的一位青年。

她的父母立即将她带到白隐那里，向他道歉，请他原谅，并将孩子带回。

白隐仍然是淡然如水，他只是在交回孩子的时候，轻声说道:“就是这样吗？”仿佛不曾发生过什么事，即使有，也只像微风吹过耳畔，瞬间即逝！

白隐为给邻居女儿以生存的机会和空间，代人受过，牺牲了为自己洗刷清白的机会，受到人们的冷嘲热讽，但是他始终处之泰然，只有平平淡淡的一句话——“就是这样吗？”

伟大的美国总统林肯说：“如果证明我是对的，那么人家怎么说我都无关紧要；如果证明我是错的，那么即使花十倍的力气来说我是对的，也没有什么用。”这与弘一法师对待诽谤的态度——“遇谤不辩”如出一辙。

当诽谤已经发生，我们如果一味地去争辩，其结果往往会适得其反，不是越辩越黑，便是欲盖弥彰。还是鲁迅先生说得好：积毁可销骨，空留纸上声。的确，对付诽谤最好的方法便是保持缄默，让清者自清而浊者自浊，这才是明智的选择。

佛陀教导弟子，不要妄生“嗔”念，何必苦苦争辩，助长流言之风呢？其实说的就是不要和别人计较太多，太计较就会平添怨气，那烦恼就会不请自来，更何谈清静无为？

一个人如果能够将外界的闲言碎语当作耳边的一阵风一样，任它吹来，任它吹去，不为所动，就会省却很多烦恼，过一个清静圆满的人生。

“缄默”是金，更是应对突兀之言、突兀之事的有效招法。鲁迅先生曾经说过：“沉默是最好的反抗。这种无言的回敬可使对方自知理屈、自觉无趣，获得比强词辩解更佳的效果。”

让我们善于用“缄默”来应对诽谤吧！在我们应用“缄默”处理问题时，我们的品德和人格也随之得到了提升。在现实生活中，有了“缄默”的胸襟，就不会与他人针尖对麦芒，睚眦必报；有了“缄默”的情操，所拥有的友谊，永远会多于怨恨。

对他人过去的坏处耿耿于怀，对别人人格的不尊重，都可能给别人、给自己惹来意外灾祸。至于不念人旧恶是要有些胸襟的，只有有修养的人才可能做到。其实人际间的矛盾往往因时因事而转移，总把思路放到过去的恩怨上属于不智之举，忠恕待人，养德远害，应该成为处世待人的准则。

遇事“让一步”“宽一分”是把苦留给自己，把功把名给别人，这种牺牲精神可以求得自我的精神慰藉，也足以赢得世人的敬重，反过来这种敬重也算是自己的得吧。

宋真宗时期，宰相王旦位高权重，但他朝夕惕厉，处理任何一件事都十分谨慎细致。当时朝廷还有一位大臣——寇准，刚直忠贞，也是皇帝身边的左右手。寇准见王旦官职在自己之上，心里有点不大服气，不由自主地对王旦的言行有所诋毁。在朝廷之上，寇准也曾公开指责王旦的缺点。

相反，王旦认为寇准忠心耿耿，足以堪当重责大任。因此，每次在皇上面前，王旦都专门称赞寇准的优点，认为他是一个值得众人学习的榜样。真宗觉得非常惊讶，有一次，他和王旦两人交谈的时候，就问道：“你经常称美寇准，寇准他却数次说你的短处，你为什么能这样做呢？”

王旦听了说道：“我在相位已经这么久了，缺点一定很多，但因职位较高，一般大臣都不敢指出我的缺点，而寇准能够直陈我的不足，可见他忠贞直率之心，这也是臣下看重他的原因。这样的大臣，既是国家之福，也是我的良师益友啊！”

有一次，寇准私下来找王旦，希望他能向皇上推荐自己当宰相。王旦义正词严地对他说："当将军当宰相这样的职位，怎么可以求得来？"但很快寇准被朝廷派官为武胜军节度使、同中书门下同平章事，寇准万分感激皇上的知遇之恩，他入朝拜谢皇上，眼眶涌出泪水，激动地说："如果不是陛下了解微臣，怎会有臣下的今天？"皇上特意把事实真相告诉寇准，他说："你能当节度使，又能当同平章事，都是王旦为你推荐的。"

寇准听说了内情，不禁非常羞愧，对王旦的正直宽宏自叹不如。

哲人说，送人一轮明月，我们的心中也会沐浴月光。魏国公（王旦封号）德量恢宏，从容大度，他却经常称赞别人忠贞，而且做得不露痕迹，让对方没有感觉，也不会跟对方邀功，他的心胸、度量正如《菜根谭》中所讲："处世让一步为高，待人宽一分是福"。当我们宽容一个人的错误，忍让一个人的无礼时，我们看似在失去，实则在储备。虽然我们失去了暂时的荣耀，但是我们储备了持续升值的感恩和信任。

也许别人会冲撞我们，冒犯我们，甚至诋毁我们。遇到这种情况，如果我们事事工于心计、气量狭小，处处流露出小家子气，那么，我们不但不会取得真正的成功，也不会体验到任何本属于自己的满足和快乐。其实，宽容、忍让是种福修德的好根由。为人在世，谁也保证不了自己永远不犯错，谁也难免得罪人，这种情况下，能做到忍让是最高明的对策，也许这一刻我们退让了，但退得一步就上得一步，在方便别人的同时也为方便自己奠定基础，对方的攻击不仅会不攻自破，而且会让对方看到我们坦诚无私、胸襟广阔、人格高尚等品性，从而为我们成大事聚集所需要的人脉资源。

誉卷五

1. 好誉者多辱也。誉满主惊，名高众之所忌焉。

【译文】

爱好名誉的人大多数都会受辱。赞誉太多君主就会惊慌，名声太高的人就会招来众人的嫉恨。

【智慧解读】

心头功名利禄欲望太强，个人荣辱得失受到计较太多，必然总处在一种忧郁与不满之中。爱好名誉的人，大多数都会在名誉上受侮辱。从做人的角度来看，每个人都向往逍遥自在的生活，但是，如果环境仅仅使你逍遥自在，却不能排除内心对世俗名誉的杂念，不论多么好的环境也无济于事。

生活中，人们往往很难做到一心一用，他们在利害得失中穿梭，无法用一颗平常心对待宠辱，产生了“种种思量”和“千般妄想”。他们在生命的表层停留不前，这是他们生命中最大的障碍，他们因此而迷失了自己，丧失了“平常心”。我们要知道“身如不系之舟，一任流行坎止”的道理，顺其自然地感受生命，才能找到生命的真谛。

中国古代有一位神射手，叫后羿。经过多年的勤学苦练，加上先天禀赋，他练就了一身百步穿杨的好射击本领，立射、跪射样样精通，而且箭箭都射中靶心，从来没有失过手。人们对他充满敬佩，争相传颂他高超的射技。

夏王从身边人那里听说了这位神射手的事迹，他想一睹其风采，于是把后羿召入宫来，让后羿单独给他一个人演习一番。

后羿被带到宫中，在御花园里的一个开阔地带，夏王叫人拿来一块一尺见方，靶心直径大约一寸的兽皮箭靶，用手指着说："今天请先生来，是想请你展示一下你那精湛的本领，这个箭靶就是你的目标。为了使这次表演不至于沉闷乏味，我来给你定个赏罚规则：如果射中了的话，我就赏赐给你黄金万两；如果射不中，那就要削减你一千户的封地，现在请先生开始吧。"

后羿听了夏王的话，一言不发，面色凝重。他慢慢走到离箭靶大约一百步的地方，脚步显得相当沉重。然后，后羿取出一支箭搭上弓弦，摆好姿势拉开弓准备射击。

想到自己这一箭出去可能导致的结果，一向镇定的后羿呼吸变得急促起来，拉弓的手也微微发抖，几次都没有把箭射出去。过了好一会儿，后羿终于下定决心松开了弦，箭应声而出，"啪"的一下钉在离靶心足有几寸远的地方。后羿脸色一下子白了，他再次弯弓搭箭，精神却更加不集中了，射出的箭也偏得离谱。

后羿收拾弓箭，勉强微笑着向夏王告辞，悻悻地离开了王宫。夏王在失望的同时掩饰不住心头的疑惑，就问手下道："这个神箭手后羿平时射起箭来百发百中，为什么今天跟他定下了赏罚规则，他就大失水准了呢？"

手下解释说：“后羿平日射箭，不过是一般练习，在一颗平常心之下，水平自然可以正常发挥。可是今天他射出的成绩直接关系到他的切身利益，自然会患得患失，所以不可能静下心来充分施展技术。”

因为被名誉所牵绊，后羿便产生了患得患失的心理，在行事的过程中也就出现了差错。追求名誉是人生的精神枷锁，是附在人身上的阴影。也正因为这样，后羿才会在自己最擅长的领域栽跟头，从而被人轻视。

面对名誉，我们要有平常心，特别是在官场上，而对“开功之臣”这样的地位，更要有平常心。因为功高会震主，会招来杀身之祸。

在多数人唯恐“位小利薄”的官场，同样是卖命做事，似乎做“开功之臣”的利益要远高于“救世将领”的利益。有能力的人，这山望着那山高，甚至不惜铤而走险，倒也在情理之中。所以，君主都很害怕那些功劳很高的人，面对这些功高震主的人，君主的直接做法就是杀之。

所以，一个人的爵禄官位到了一定程度就必须急流勇退，古代开国功臣大多被杀的一个很重要的原因在于他不能急流勇退。可惜很多人不懂这个道理。居上位者同样需要明白“高行微言，所以修身”的道理，身居高位依然要保持低调谨慎，这样才不至于招致忌恨。

唐代宗时，天下大乱，郭子仪奉命击退吐蕃和回纥军队。他不负众望，凭借一己之力说服回纥首领，单骑退兵，从此名震千古，传为佳话。在大唐危难之际，郭子仪立下赫赫战功。然而皇帝又担心他功高震主，命其归野。郭子仪接到圣旨二话不说，马上移交清楚，坦然离去。等国家有难时，一接到命令，他又不顾一切，马上就位。如此以往。郭子仪屡黜屡起，四代君主都离他不行。

唐代宗大历二年（767）十月，正当郭子仪领兵在灵州前线与吐蕃军拼杀的时候，鱼朝恩却偷偷派人掘了他父亲的坟墓。当郭子仪从泾阳班师回朝时，朝中君臣包括代宗本人心都悬着，猜想郭子仪此次归朝一定不会放过鱼朝恩。所以郭子仪入朝的那一天，代宗主动提了这件事，不想，郭子仪却躬身自责起来。他说："臣长期带兵打仗，治军不严，未能制止军士盗坟的行为。现在，家父的坟被盗，说明臣的不忠不孝已得罪天地，这是我自作自受，怪不得他人。"君臣们听了，都由衷地佩服郭子仪宽广大度的胸怀。

郭子仪心里明白，自己功劳越大，麻烦就越大。即便当朝皇帝代宗对自己信任有加，但是伴君如伴虎，他不得不处处谨慎小心，不过度要求，对自己的职责也丝毫不敢懈怠。所以每次代宗给他加官晋爵，他都恳辞再三，实在推辞不掉，才勉强接受。广德二年（764），代宗要授他"尚书令"，他死也不肯，说："臣实在不敢当！当年太宗皇帝继位前，曾担任过这个职务，后来几位先皇为了表示对太宗皇帝的尊敬，从来没有把这个官衔授给臣子，皇上怎能因为偏爱老臣而乱了祖上规矩呢？况且，臣才疏德浅，已累受皇恩，怎敢再受此重封呢？"代宗没法，只得另行重赏。

郭子仪的一生可谓对"处世不必邀功，无过便是功；与人不求感德，无怨便是德"这句话的最好解读，做人如此，做官亦如斯，有功不争功，有祸而不畏惧，这样的智慧值得我们现代人学习。

古今中外，过分张扬、锋芒毕露之人，不管功劳多大、官位多高，最终多数不得善终，这是尽人皆知的历史教训。为官者放低姿态，表现得谦逊、低调、圆润、平和，能够收拢更多人心，即使达不到收拢人心的目的，至少不会招来敌人。居上位者低调做人，亦能在这段时间内培养自己的能力、经验、人际关系，令自己的羽翼更加丰满，进而展翅高飞，主宰自己的未来。

虽然取得了极大的成功，但是郭子仪知道，这些成功可能会给自己带来很大的危险，所谓适时放弃，才是明哲保身的智慧之举。

2. 誉存其伪，谄者以誉欺人。名不由己，明者言不自赞。贪巧之功，天不佑也。

【译文】

名誉存在虚假性，谄媚的人用它来欺骗别人。自己控制不了名望，明智的人不会自己赞扬自己。靠贪婪和巧取获得的功名，上天也不会保佑。

【智慧解读】

名誉这个东西，如果不能看懂它，就会被利用，被用来欺骗自己和别人。拥有名誉，并不是自己能够控制的，所以明智的人从不因为拥有它而沾沾自喜。只有那些巧取功名的人，才会在追求名誉的道路上费尽心思。

孟子在《孟子·滕文公下》中说：“居天下之广居，立天下之正位，行天下之大道，得志与民由之，不得志独行其道。富贵不能淫，贫贱不能移，威武不能屈。”不受富贵名利的诱惑，具有高风亮节的君子，胜过争名夺利的小人的一个重要因素，在于君子保持自我的人格和远大的理想，超然物外，不为任何权势所左右，甚至连造物主也无法约束他们。

几乎所有的圣人君子都是抱着普通人的平静心态在生活，他们身处世间，对于外物既不欢迎，也不拒绝，“物来而应，物去不留”，因此能在平衡中衍生平静，平静中升华超脱。由此可知，一个人如果背负太多的东西，只会让自己疲惫不堪，只有适当地放下，才能得到真正的快乐。

南朝萧齐时的王僧虔立身处事谨慎，为人谦和，而且在书法方面很是精通。当时的皇帝齐高帝萧道成也对书法十分感兴趣，于是便邀请王僧虔和自己比字，字写完后，萧道成问王僧虔：“谁的书法技艺略胜一筹？”王僧虔先深作一揖，然后说：“臣下有幸和陛下并列第一。”萧道成听后，大笑说：“尔善自为谋。”

萧道成驾崩后，其子萧赜继位。萧赜出于对王僧虔的敬重，便将他提升为侍中、左光禄大夫、开府仪国三司。可当时，王僧虔的侄子王俭也在朝中为官，王僧虔便找到王俭说：“我们叔侄二人同朝为官，而且在朝中同样官高任重。这一次得到陛下器重，我十分感激。但是我如果再受任，就会出现一门二台司的局面。这种情况不仅会让人们觉得我们居心不良，还会给我们自己招致不必要的怀疑和麻烦。”

随后王僧虔便奏请皇上，表示自己不能受任。萧赜拗不过，只得取消任命，改任王俭为侍中、特进、左光禄大夫。

有些人不明缘由，便问王僧虔："高官不做更待何求？"王僧虔便解释说："君子不为获得宠爱谋划，只为能否立德担忧。我现在衣食富足，但是年事已高，荣位已过，常常感觉自己力不从心，处在现在的职位上都已受之有愧，更何况是再高些的职位？受得高官，却庸碌无为，岂不是更要被天下人耻笑？"

王僧虔心性自由，他的一番话，准确地传达出君子对于名利富贵的普遍看法。古来就有君子和小人之分，君子立身以德，而小人却立身以宠。王僧虔身为君子视无德为可忧，视尸位为可羞，视被人耻笑为可畏。这种立身原则是非常可取的。王僧虔以实际行动诠释了"彼富为仁，彼爵我义，君子故不为君相所牢笼"的人生要义。

做人要想能在功名利禄面前，应对自如，就要保持一颗平静的心，学会适当放下是一种洒脱，是参透万物后的一种平和心态。只有放下那些过于沉重的东西，才能得到心灵的放松。当某一件东西带给我们的只有无尽的烦恼和忧愁，各种各样的负担如山一般压在人的心上不能自由呼吸，那么最明智的办法就是舍弃它，赤条条来去无牵挂，快乐自然会回到身边。

古人说，没有对名利等物欲的贪求，心灵就会像秋高气爽的天空和澄静的海面一样明朗辽阔；在闲坐时有琴弦和书籍为伴，生活就会像居住在山洞中的神仙一样逍遥。戒物欲，方能不为外物所累。淡泊物欲者，生活的道路上会永远开满鲜花，永远芳香四溢；执着物欲者，生活的道路上就会遍布陷阱。生活中并不是只有金钱、名声和欲望，人们需要清醒的心智和从容的步履，而不是沉迷于物质追求，陷入物欲所布下的陷阱之中难以自拔。抛开物欲，宠亦泰然，辱亦淡然，有也自然，无也自在，如淡月清风一样来去不觉。生活，不就轻松很多了吗？

任何事都不应走极端。寻求致富要在合法的范畴；有了钱财，可以为自己的作为打基础，为社会的公益做贡献，这是好事。希冀得到权力应通过业绩来升迁，有了权力，能够为国为民也是好事。但如果为求取功名利禄不择手段，以种种不道德的行为钻营，追求在无形中就发生了质变。

所以一个人要在平凡中奋斗，不可太热衷于功名富贵。同理，仁义道德也非常重要，假如有人置仁义道德于不顾，那就跟一个不通人性的禽兽一样。但是假如太热衷于仁义道德，急着想做一个人人赞美的道德家，但事实上没有敦品励行的毅力，就成了伪君子。把道德当教条，成了教条的奴隶同样是不可取的。只有胸怀开阔者才能冲破教条牢笼去创造大事业。

李春芳是明朝的进士，由于写得一手好文章而备受皇上的青睐，因此被皇上不断提拔，成为红极一时的大臣。但是李春芳深知当朝皇上的喜怒无常，陪伴在他身边，迟早有一天会惹祸上身。所以他打定主意，在朝廷议政的时候，既不过激，也不落伍，而是保持中立的态度。

后来，朝廷中的争权夺利越来越严重了，李春芳借机提出告老还乡，得到了皇上的批准。就在李春芳回乡一年以后，朝廷因为政治斗争而发生了重大变故，当年一起做官的人，死的死，逃的逃，只有李春芳在家中颐养天年，与父母妻小共享天伦之乐。

当有人问李春芳为何甘愿隐退的时候，他说："官场之中，如果不懂得在运势最佳时选择隐退，终有一日不可全身而退。"

李春芳的言外之意，只有放下才是最好的选择和出路。李春芳和其他人下场的对比，鲜明地彰显了功成身退、适时放下的重要性。历史上许多有建树的人都曾做出过类似李春芳这样的决定，他们有的择主而仕，有的功成身退，还有的退而归隐。他们并不是不求名利，只是懂得掐算时机、揣摩别人的心思，不贪恋来之不易的名利罢了。这看似是一种放弃，实则是一种很有远见的明智之举。然而历史上因为不明白这个道理而不知进退最后命丧黄泉的，大有人在。

在生活中，也是这样的。世间的一切喜乐悲愁，一切的成功与失败、收获与丧失，往往都是由人们过分执着导致的。工作中要一步一个脚印地走，欲速则不达，生活中要澄澈心境，执念太多，往往与幸福擦肩而过。我们同在人生的单行道上，尝试着放下心中的急切和过高的期望，就会看淡外物的得失，审慎对待各种选择，从而在更为广阔的天空下，迎接永恒的幸福。

3. 赏誉勿轻，轻则誉贱，贱则无功也。受誉知辞，辞则德显，显则释疑也。上下无争，誉之不废焉。

【译文】

不要随便赏给他人名誉，太随便给的名誉就会受到轻视，受到轻视的名誉就失去了它的功效。接受荣誉要懂得推让，推让才能显现美德，显现美德才可以解除猜疑。上司和下属之间没有争斗，他们的名誉自然不会受损害。

【智慧解读】

君子看到名誉时，不会急切向前拥抱，反而要仔细评估，反复推脱；君子看到功利时，也不会主动追求，反而更加看重自己的德行。这样的人面对强大的宿命也不会低头退却，因为他们心怀高远意志坚定，所以能拥有突破造化弄人的神奇力量。

争名夺利之累人所共知，而名誉之诱惑的确也太大。一个人不铲除名誉观念，随时都会有追逐名誉的念头产生，不论他如何标榜清高，声称要退隐林泉，都不过是以退为进的托词。只有正气一身，道德纯真的人才可能淡泊名利，其实一个人隐世出世是次要的，关键是要看他的修养，是正气居多还是满身私心杂念，要看他的行为是不是利国利民。

有一位法师一辈子做好事、积功德、盖庙宇、讲经说法，他自己虽没有打坐、修行，可是他功德很大。年纪大了，就看到两个小鬼来捉他，那两个鬼在阎罗那里拿了拘票，还带个刑具铐链。这个法师说：“我们商量一下好不好？我出家一辈子，只做了功德，没有修持，你给我七天假，七天打坐修成功了，先度你们两个，再度阎罗。”那两个小鬼被他说动了，就答应了。

这个法师以他平常的德行，一上座就万念放下了，庙宇也不修了，什么也不干了，三天以后，无我相，无人相，无众生相，什么都没有，就是一片光明。这两个小鬼第七天来了，只看见一片光明却找不到他了。

完了，上当了！这两个小鬼说：“大和尚你总要慈悲呀！说话要有信用，你说要度我们两个，不然我们回到地狱后要坐牢啊！”

法师大定了，没有听见，也不管。

两个小鬼就商量，怎么办呢？只见这个光里还有一丝黑影。有办法了！这个和尚还有一点不了道，光里还有一点乌的，那是不了之处。

因为这位和尚功德大，皇帝聘他为国师，送给他一个紫金钵盂和金缕袈裟。这个法师虽然平常什么都无所谓，但很喜欢这个紫金钵盂，连打坐也端在手上，万缘放下，只有钵盂还拿着。两个小鬼看出来了，他什么都没有了，只有这一点贪还在。于是两个小鬼就变成老鼠，去咬这个钵盂，卡啦卡啦一咬，和尚动念了，一动念光没有了，就现出身来，他俩立刻把手铐给和尚铐上。和尚很奇怪，以为自己没有得道，小鬼就说明经过，和尚听了，把紫金钵盂往地上一摔，说：“好了！我跟你们一起见阎罗去吧！”这一下，两个小鬼也开悟了。

得道的法师尚且为欲望所累，更何况跋涉于欲望

之海的凡间众生呢？但是高僧终究是高僧，临了还能看破欲望，摔掉自己心爱的紫金钵盂。欲望能够阻碍修行之人的正道，也能够给普通人带来祸患。

欲望过多，不加节制，人的心便会发生病态的畸变，形成自私、攫取、不满足的价值观，继而出现不正常的行为。功名利禄没有满的时候。人得到越多，胃口就越大，每天便会为这些事物殚精竭虑、费尽心机地算计，更有甚者可能会不择手段、走极端。而不能控制功力心态的人，往往不自知，如同一只转磨的驴只顾一个劲儿地往前走，没办法停下来，最后才发现自己早已遍体鳞伤，筋疲力尽。只有学会摒弃欲望，恬淡自如地对待生活中的得与失，才能不为外物所累，长久地享受人生的幸福。

做人要想能在功名利禄面前应对自如，就要保持一颗平静的心。学会适当放下是一种洒脱，是参透万物后的一种平和。只有放下那些过于沉重的东西，才能得到心灵的安宁。

围剿太平天国运动的过程中，曾国藩指挥的湘军一马当先，一路攻下了南京城并俘获了忠王李秀成，取得最终的胜利指日可待。

这天，曾国藩与弟弟曾国荃在院子里喝酒，席间，曾国荃难掩兴奋地说：“大哥，先帝曾说过，谁先破了金陵，就封谁为王。咱们这次虽然让洪秀全的儿子跑了，可是活捉了李秀成，灭了太平军指日可待。这下，咱们哥俩就等着皇上下旨封王吧。”说到这里，曾国荃兴奋地将杯里的酒一饮而尽。

曾国藩是熟读四书五经的人，深知朝廷中的事情不是像表面上那么简单的。他不像曾国荃那样将酒一饮而尽，而是轻轻地在杯边抿了一下:“先帝爷确实有下过旨，可是现在已经不是先帝爷的天下，金銮殿上坐着的可不是先帝爷。依我看，咱们不仅不会被封王，还可能引来祸患。”

曾国荃满脸惊讶，没想明白其中的道理。曾国藩进一步解释说:“现在咱们手里有数十万大军，太平军也让咱们给灭了，朝廷一定会担心我们拥兵自重。再说，你我二人在朝中也算是位高权重，其他大臣岂有不嫉妒之理？你平日里总是以战争敛财，贪婪成性，别的大臣早就对你有了非议，这些怎么可能不传进皇上的耳朵？早就跟你说过了，做官要以敛财为耻，你就是不听。依照当前的情况，我们也只好先找个退路，再做进一步的打算了。”

曾国荃虽然觉得大哥说的话很刺耳，但是也没有反驳什么。他深知，如果没有大哥曾国藩的提拔，是不会有他曾国荃的今天的。平日里虽然曾国藩总说他，但是他知道大哥都是为了他好，也就默默地听从了大哥的教训。今天，他依然在想，大哥说怎么办就怎么办吧。

事情果然不出曾国藩所料，皇上没有将他们二人封王，而是封为侯爵。这就表示，朝廷已经开始对他兄弟二人有了戒心。曾国藩在接到诏书以后，急忙上奏朝廷说：湘军打仗时间太长了，已经没有了原来的生气，所以请求裁军。又奏请说弟弟曾国荃因为病情加重，希望皇上准予他回乡养病。皇上一看曾国藩有意消除兵权，又舍弃了“左膀右臂”，自然恢复了对他的信任。

倘若不大胆地舍弃，那么等待曾国藩的一定会是朝中大臣的排挤、皇上的猜疑，甚至是给全家带来的

祸端。由此可见，有时候舍弃并不是一件坏事，反而是对生活的另一种成全，这正应了中国那句老话“有舍方有得”。

可是在生活中，每个人都希望获得更多，都希望自己能够成为一个全才：看到别人会开车，我们也去学开车；看到别人会弹吉他，我们也报了音乐辅导班；看到别人会游泳，我们也要挤出时间来尝试一下……做的事情太多了，往往什么事情都没做好。所以，不如只选择一两件适合自己的，把不必要的去掉，我们才有可能发挥出自己的长处，做到最好。

人生之中，处处都有选择。面对鱼和熊掌不可兼得的局面，人就应该学会舍弃。如果不能当机立断，或是不想舍弃，那么就可能陷入更为艰难的局面。做出舍弃是困难的，但是没有付出就不会有收获，我们只有大胆地舍弃了，才能拥有更多的收获。

4. 人无誉堪存，誉非正当灭。求誉不得，或为福也。

【译文】

没有名誉人还可以存活，但不是正道得来的名誉却能让人毁灭。求取名誉而得不到，这可能就是福气。

【智慧解读】

庄子曾说：“名者，实之宾也，吾将为宾乎？”意思是说名为宾，是次要的，实才是主要的。名誉看起来是实的，实则虚无缥缈。所以，就算没有名誉，人还能够生活；但不是通过正规渠道得来的名誉，却能让人毁灭。

在智者看来，名誉不过是个虚浮的东西，只有逍遥自在的真实生活才是最珍贵的。正如洪应明所说的："人知名位为乐，不知无名无位之乐为最真。"活在世界上，名声地位并不能带来圆满生活，反而是不刻意求名逐利的人无忧无虑，生活悠然。

一个非常正直的学者，一生治学严谨，绝不会沽名钓誉。一个人能把名利看得淡一些，境界就会高一些。胡适先生到了台湾以后，曾对台湾的年轻学者们说："你们治学的态度应该学习大陆的季羡林。"

治学也好，为人也罢，道理其实都是相通的。一个人如果不能淡泊名利，就很可能急功近利，进而为了满足心中的贪婪不择手段。人如果能少一点贪欲，多一点自制与满足，自然也就不会落入生活里各种各样的圈套中，让自己沦为一个任人宰割的羔羊。

在我国古代，很多贤者都通过纵情山水来表达自己不慕名利的淡泊情怀，这里面有真贤士，也有假名士。其中，卢藏用最擅长靠淡泊来包装自己。

唐代的时候，有位叫司马承祯的人，在都城长安南边的终南山里住了几十年。他替自己起了个别号叫白云，表示自己要像白云一样高尚和纯洁。唐玄宗知道了，想要请他出来做官，但被他谢绝了。于是，唐玄宗替他盖了一座讲究的房子，叫他住在里面抄写校正《老子》这本书。后来他完成了这项任务，到长安会见唐玄宗。见过玄宗，他仍然打算回终南山去，偏巧碰见了也曾在终南山隐居，后来做了官的卢藏用。

司马承祯与卢藏用说了几句话，后者抬起手来指着南面的终南山，开玩笑地对他说：“这里面确实有无穷的乐趣呀！”原来卢藏用早年求官不成，便故意跑到终南山去隐居。终南山靠近国都长安，在那里隐居，容易让皇帝知道，也更容易被请出来做官。不久，卢藏用果然达到目的。司马承祯想对他的这种行为讽刺一下，便应声说：“不错，照我看来，那里确实是做官的‘捷径’啊！”

卢藏用与司马承祯二者稍作比较，高下立见。大部分欲寻求“终南捷径”者多是沽名钓誉的人。陈继儒《小窗幽记》中的“谈山林之乐者，未必真得山林之趣；厌名利之谈者，未必尽忘名利之情”暗指的就是像卢藏用这样的人。他们表面上畅谈山林的乐趣，对名利嗤之以鼻，实质上却在内心深处和自己唱着反调。

这些人中有人确实能钓到“大鱼”，但最终躲不过暴露和遭殃的结局，而且，世界虽然能容“沽名钓誉”者一时，却难以容他一世。

但凡拥有权位的人，最容易听到官场上阿谀奉承的溢美之语，在众口一词的赞美声中迷失自我。如果这个时候自以为是，不知道虚心求教，就很容易铸成大错。

水滴虽小，足以穿石；蝼蚁卑微，却能溃堤。小的事物并不一定没有用，相反，有的时候小事物的威力巨大无穷。星星之火可以燎原，既是这个道理。因此，假如你是一个小人物，请不要自怨自艾，更不要感叹自己的渺小和不为人知，因为你有你的力量可以感动这个庞大的世界；假如你是一个举足轻重的人物，也不需要有所掩饰，不过是顺其自然表现自己而已，但是千万不能自恋自夸。“暴富贫儿休说梦，谁家灶里火无烟”说的就是不自夸，要懂得谦虚低调。

孔子学识渊博，可是仍非常虚心，遇到不懂的问题，总会诚恳地向别人求教。有一次，他到太庙祭祖。他一进太庙，就觉得新奇，向别人问这问那。有人笑道：“不是说孔子学问出众吗？怎么什么都不懂，进来就问东问西的，我看他的学问也不过如此。”孔子听了说：“不懂就问，有什么不好？”正是这样的精神，让孔子的学识日益渊博，终成儒家大师。

曾子也夸赞他昔日同窗颜回的美德道：“我的同学颜回才是真正有学问的人，明明自己的修养与知识都在很多人之上，但是他每次总是谦虚地向别人请教，做到了老师说的不耻下问。”这一点很难得，因为人们通常都比较自恋，认为自己就是最优秀的，哪里能放下身份向他人请教呢？尤其是一些有才华的人就更不肯放下身份了。

谦虚的人，做起事情来能够脚踏实地，也就能学到更多东西。可是现在有一些年轻人，往往不能正确对待名誉和成绩，有的人拔尖逞能，有的人骄傲自满，有的人因为小小的成就就沾沾自喜，最终必会影响个人的成长和发展，甚至使他们失去朋友，脱离集体，成为一个狂妄自大的人。

一个人越是学问高的时候反而会表现得越谦恭，

这是知识与修养给他带来的改变。一位哲学家说“人的知识就像是一个圆圈，圆圈里面的是你已经知道的知识，圆圈外面代表的是你的未知。圆圈越大的人就越会发现自己的知识很不足。”这一点就像我们说的越是成熟的稻穗越是往下弯腰，一个人的学问越高也就显得越发谦虚。

情卷六

1. 情滥无行，欲多失矩。其色如一，神鬼莫测。

【译文】

情感过度泛滥就会失去品行，欲望太多就会没有法则。神色保持不变，连鬼神也不能猜测出他的心思。

【智慧解读】

人有七情六欲，所以才生出万般痛苦来。人因为充满太多的情感，所以容易失去方向，从而无所不作，失去了应该有的道德之心；人因为充满欲望，才会跨越法律的栅栏，走向犯罪。

生活如海，欲望如潮。人生在世，不能没有欲望，就像大海不能不涨潮一样，这是一种自然定律。假如世人都没有欲望，就会对什么事情都不感兴趣，就会缺少热情、缺少投入、缺少追求，那将是多么苍白的生活画卷。问题的关键在于，人们如何把握住自己的欲望尺度。涨潮也有落潮时，不让欲望泛滥成灾，才是可取之举。

然而，生活中有许多人不想这么做。他们从来不蓦然回首，不和自己的从前相比，而是一味地和别人攀比。于是，欲望的潮水只涨不落，而且一浪高过一浪。为了自己富有与享乐，不择手段地对待生活、对待他人，以至于让欲望的潮水冲破理智的大坝，不但害了自己，还损害他人，危害社会。

以前，有两个年轻人，一个叫张会，另一个叫李良。他们是邻居，他们都自幼失去父母，家境十分贫寒。他们俩终日以打柴为生，生活十分辛苦。即便这样，他们也从来没有抱怨过，一天到晚忙得不亦乐乎。生活虽然艰苦点，但日子过得还算舒心。

观音菩萨得知了他们二人的情况，为他们的意志所感动，决心下界去帮他们一把。清晨时分，菩萨来到了两人的梦中，对他们说："远方有一座太阳山，山上撒满了金光灿灿的金子，你们可以前去拾取。不过路途非常艰险，你们可要小心！并且，太阳山温度很高，你们一定要在太阳出来之前下山，否则，就会被烧死在上边。"说完，菩萨就不见了。

这二人从睡梦中醒来，非常兴奋，很早便起程去了太阳山。一路上，他们不但遇到了毒蛇猛兽、豺狼虎豹，而且天空中狂风大作、电闪雷鸣。他俩咬紧牙关，团结一致，最终战胜了各种艰难险阻，历经千辛万苦，终于来到了太阳山。

两人一看，漫山遍野都是黄金，金光灿灿的，照得人睁不开眼。李良一脸兴奋，望着这些黄金忍不住地笑，而张会却只是淡淡一笑。

张会从山上捡了一块黄金，装在口袋里，下山去了。李良却捡了一块又一块，就是不肯罢手。不一会儿整个袋子都装满了，李良还是不肯住手。太阳快出来了，可是他仍在不停地捡。

一会儿，太阳真的出来了，山上的温度也在渐渐地升高。

这时，李良才慌了神，急忙背着黄金往回跑，无奈金子太重，压得他步履蹒跚，根本就跑不快。太阳越升越高，他终于倒了下去，被烧死在了太阳山上。

张会回家后，用捡到的那块金子当本钱，做起了生意，后来成了远近闻名的大富翁。

我们要明白这样一个道理：欲望适度则为利，欲望过度则为害。不被欲望所累，才能少走弯路，少流悔恨的泪水。清爽恬淡，笑对人生，也是一种幸福。

追求财富，占有金钱，本无可厚非。那么，富有到什么程度才算富有，占有多少金钱才算足够？这大概没有一个固定的统一标准。坦然的人生则要把握好欲望的“横”和“竖”两条线。所谓“横”线是以自己的富有程度为起点画一条水平线，可以看出高于水平线和低于水平线的都大有人在。自己比上不足、比下有余，已经是较佳的位置了。因为生活是大海，浪高浪低纯属自然，正如人们的富有程度永远不可能都在一个水平线上一样。所谓“竖”线是以自己从前生活中的低点为起点画一条上升线，随着这条线上升，可以十分清晰地表明自己生活水平逐步提高的程度，应该为此感到欣慰、充实并满足。

人的心神也如天地中万物一样，有喜怒哀乐的自然之状，这些都是人体所不能少的。遵照自然的天性，该喜时则喜，该怒时则怒，不要受外物所牵累。

东晋时，王家是大家族，社会地位很高，因此当时的太尉郗鉴就想在王家挑选一个女婿。郗鉴的这个女儿，才貌双全，郗鉴视若掌上明珠，这么一个宝贝女儿，一定要找个门当户对的人家。郗鉴觉得王家与自己情谊深厚，又同朝为官，听说他家子嗣甚多，个个才貌俱佳，觉得十分合适。

一天早朝后，郗鉴就把自己择婿的想法告诉了王丞相。王丞相说："那好啊，我家里子嗣很多，就由您到家里任意挑选吧。凡您相中的，不管是谁，我都同意。"郗鉴就命心腹管家带上重礼到了王丞相家。

王府子弟听说郗太尉派人觅婿，都仔细打扮一番出来相见。寻来觅去，一数少了一人。王府管家便领着郗府管家来到东跨院的书房里，只见一个袒腹的青年人仰卧在靠东墙的床上，似乎对太尉觅婿一事无动于衷。

郗府管家回去向郗鉴报告："王家的少爷个个都好，他们听到了太尉要挑选女婿的消息以后，个个都打扮得齐齐整整，循规蹈矩，唯有东床上有位公子，袒腹躺着，若无其事。"

郗鉴说："那个人就是我所要的好女婿！"于是马上派人再去打听，原来那人就是王羲之。郗鉴来到王府，见到王羲之既豁达又文雅，才貌双全，当场下了聘礼，择为快婿。

王羲之并不因有人来挑选女婿就刻意打扮自己，这就是真性情所在。以真示人的人一定不会丢失自己，所以王羲之被选中了。

真正成功的人生，不在于成就的大小，而在于是否活出自我。生命就是如此简单，就好像一杯水，水本身清澈透明，无色无味，对任何人都一样。不过在饮入时，每个人都有权利加盐、加糖，或是其他，这是每个人生活的权利，全由自己决定。

但是，在欲望的驱使下，人们或许会不停地往水中加入各种东西，这种情况下，必须懂得适可而止。

喜怒哀乐是天性使然，兴起过后也要随其自然消失，不要过分地夸大，甚至添加过多的外物，以此违背自然的规律。

不怨天尤人，不沉迷功名利禄，实实在在地做事，规规矩矩地做人，泰然地接受自然的赐予，回报自然以真心，生活就是如此单纯。

2. 上无度失威，下无忍莫立。上下知离，其位自安。君臣殊密，其臣反殃。小人之荣，情不可攀也。

【译文】

上司没有容人的度量就会失去威信，下属不能忍辱负重就不会成就事业。上司和下属要保持一定的距离，才能保证各自地位安稳。君主和臣子如果太过亲密，臣子反而会招来祸害。小人如果发达了，就不能和他们攀附交情。

【智慧解读】

在职场中，有一件事情是绝对不能做的，那就是得罪上司。何为上司？说白了就是能把控你职场走向的人，能够决定你人生命运的人。

立功是好事，功高震主却不是好事。

司马懿的性格决定了他的行为准则：功劳越大，越战战兢兢。整个魏国都找不出一个能跟司马懿抗衡的大臣，而司马懿非但没有因此飞扬跋扈，反而更加低调谨慎，并且不遗余力地让全魏国都知道他很低调。

没多久，这个秀低调的机会很快就来了。

在解决了所有问题之后，司马懿班师回朝，这时候已经将近十月了。

辽东气候寒冷，十月份已经快飘雪花了，魏国远征军都还穿着单衣，冷得瑟瑟发抖。这时候有人就建议，说辽东府库里有很多棉袄，为何不分给将士们穿呢？

司马懿等的就是这句话，于是乎，一番事先早已打好腹稿慷慨激昂的陈词脱口而出：“府库里的棉袄是大魏官家的财产，我拿来分发给士兵就是用公家的财务来施展私人的恩惠，这不是一个臣子应该做的事情，我绝不如此。”

说完，司马懿下令即刻撤军，数万大军就这么在寒风中瑟瑟发抖着撤离了辽东。

司马懿这场秀不仅做得漂亮，而且秀到了曹叡最敏感的神经上。

曹叡最担心的是司马懿功高震主，但司马懿一而再再而三地显示出自己功高而不自矜的品行，让曹叡这颗悬着的心终于慢慢放下了。

一个又能征战立功，又不居功自傲的下属，简直是所有领导心中的完美下属。

当司马懿行进到蓟县的时候，曹叡的使者也到了，带来了丰厚的赏赐：司马懿立下首功，加封昆阳县。

如此一来，司马懿的采邑就有了昆阳和舞阳两个县，在曹魏异姓公侯中，他是唯一一个封地有两个县的人。

此时的司马懿已经站在他政治生涯的高峰，但还不是顶峰。公元 238 年 12 月的最后几天，一个来自洛阳的消息使得司马懿终于有机会登临绝顶。

越成功越低调，这是司马懿在职场上如鱼得水的重要法宝。低调可以从两方面来讲，一方面是无意识地流露，这是性格使然，一方面是主动地展示，这是为自己以后的进阶之路做好铺垫。司马懿拒绝将辽东府库里的棉袄赏赐给穿着单衣的将士就是低调最好的写照。

曹叡是个极其没有安全感的皇帝，对于这样一位上级，司马懿很清楚自己需要做些什么，那就是让曹叡看到，自己本事再大也全在他的掌控之中，自己是他可以任意驱使的狼犬，而司马懿最终得到的远比付出的多得多。

人生就像大海，处处有风浪，时时有阻力。是与所有的阻力做正面较量，拼个你死我活，还是积极地排除万难，去争取最后的胜利？生活是这样告诉我们的：不去事事计较、处处摩擦的人，才不会让凌云壮志付诸东流。作为领导，更应该具有这样的气度，因为只有这样，才能在自己周围聚拢人才。

在我国历史上，以少胜多的著名战例屡见不鲜，官渡之战就是其中之一。当时曹操仅有七万兵力，袁绍却有七十多万兵力，兵力悬殊可见一斑。为了避其锋芒，曹操采纳智者的谋略出奇地火烧了袁绍的粮草重地，把袁绍打得落花流水。

由于仓皇出逃，袁绍竟没有来得及处理那些重要密件，密件全部落入曹操手中，其中还有曹操手下一些将领因惧怕袁绍而暗中写给袁绍的密信。许多忠将建议曹操把那些写密信的人全部杀掉，以除后患。聪明的曹操却说：“大兵压境，袁绍那样强大，就连我也几乎发生了动摇，不能坚定自己的意志，何况他人？”于是，他下令把所有的密信当众烧掉了。

正当那些写密信的人心惊胆战地等待处罚时，却没料到曹操不但没有治罪于他们，还把他们通敌的证据全部烧毁了。这件事让他们从内心深处对曹操感恩戴德，从此便死心塌地地为曹操卖力，绝大多数后来成了曹魏的开国元勋。一些敌对势力的谋臣勇将听说曹操如此大度不计前嫌，也都纷纷前去投奔，为他建立宏图大业创造了条件。

曹操火烧密信，是他个人的智慧，也是他懂得领导的艺术，对下属不事事计较的表现。其实真正谙熟领导艺术的人就像曹操一样，他们的心是大智慧与大容忍的结合体，有勇猛斗士的威力，有沉静蕴慧的平和。行动时干练、迅速，不为感情所左右；退避时能审时度势、全身而退，而且能抓住最佳机会东山再起。一名领导如果能宽宥属下的某些过失，以宽大为怀，容人之过，念人之功，谅人之短，扬人之长，必然会得到部下的奋力相报，在客观上为自己留下了一条后路。

3. 情存疏也，近不过己，智者无痴焉。情难追也，逝者不返，明者无悔焉。

【译文】

情感有疏远，亲近的人不会超过自己，智慧的人不会痴迷他人。情感难以追寻，过去的一去不回，明智的人不会懊悔。

【智慧解读】

在爱情上不要犯傻，要时刻警醒自己，爱也是可以选择的。在放手的同时，也是给予了自己一次新的选择机会。放爱一条生路，也是给自己一条生路。

爱情不是占有，也不是付出多少就能得到多少的等价交换，有的时候我们会品尝到失去爱人的苦涩，需要明白放手也是一种爱。只有这样，你才能不为自己的执着所困惑，不为自己的妄念所痛苦，才能真正拿得起、放得下。

普陀山的寺院里有一个老修行者。他曾是一个铁工厂老板的独生子，父亲死后，他继承了全部的家业。但是他觉得铁工厂制造刀枪等武器威胁万物的生命，就放弃了父亲留给他的工厂，带着妻子来到乡下过起自在的田园生活。但是他的妻子忍受不了这种淡泊、勤俭的日子，于是背着他和别人私通。私通这件事，他其实是有察觉的，不过他并未声张，也没有生气，只是把精力都放在了从事农作上，偶尔也参参佛法。

有一天，他故意对妻子说自己要外出大半月，让她好好照顾家。其实他只是躲在不远处的寺院里暗自观察，等待时机。没过两天，妻子就真的约了自己的情夫到家里来住。他见时机已成熟，便买了些酒和菜回家了。

妻子见他突然回来了，赶紧把情夫藏了起来。他把酒菜摆好，叫来妻子和自己一块庆祝。

他说："我在外做生意赚了钱，今天你陪我好好地庆祝一番。"

妻子见他这么高兴，赶紧跑到厨房拿了两双筷子。他见了，说："你应该拿三双筷子才对。"

妻子疑惑地望着他问:“为什么要拿三双?等会儿还有客人要来吗?”

他说:“我们的客人早就到了。”

妻子环顾四周,问:“客人在哪呢?”

他说:“就在屋子里呀!”

妻子说:“屋子里?我怎么没有看到。”

他说:“你去把客人请出来吧。”

妻子既紧张又不解地说:“你是不是哪里不舒服了?还是在外头遇见了什么不开心的事?”

他说:“我很正常,你不用害怕。今天是个好日子,你尽管请他出来就好。”妻子还是故意装作一无所知,和他周旋。

最后,他实在忍不住了,便喝道:“不要敬酒不吃吃罚酒,快请他出来,否则我就不客气了!”那个躲在房里的情夫吓得赶紧窜了出来。他礼貌地给妻子的情夫敬酒,还向他跪拜磕头,吓得这对私通的男女魂飞魄散。

“今天是个好日子。首先我要感谢你!”他对妻子的情夫说,“你简直是我的恩人。从今天起,我所有的财产,包括我的妻子,都送给你了。”

就这样,他把束缚自己的万业放下,身轻心安地离开了家,去普陀山修行了。这对男女结为正式的夫妻,可是新任的丈夫好吃懒做,吃喝嫖赌,还虐待她。这个时候她想起前夫的种种好,她知道,这是报应。这天,她来到普陀山请求前夫的原谅。但是前夫依旧心如止水,没有答应她。她不甘心,想尽办法来讨好前夫。她记起前夫最爱吃鲤鱼,于是跑到市场买了条鲤鱼,做成前夫爱吃的口味送到普陀山上来。

前夫没有拒绝这道菜,他说:“你还记得我喜欢吃鲤鱼。

既然你把它给了我，那我就收下，并放生了它。”

听了前夫的话，她十分奇怪，问：“鱼已经被煮熟，还能放生吗？”

他说：“是啊，死了的鱼是不可能复活、被放生的。我们也一样，过去的感情已经逝去，还怎么复合呢？”

逝去的爱情无法挽回，再去死死地抓住不放手，也没有意义。虽然世人都希望“有情人终成眷属”，但世人总会受到很多限制，不能真的随心所欲。如果你真的爱一个人，却无法相守，你要记住：爱一个人并不是一定要得到。放开手，守望对方的幸福，也是一种真爱。

能够相爱是幸福的，但我们总会看到一些以悲伤结束的爱情。要培养一份清净无染的爱，在感情上不要有得失心，不要想得到回报，就不会有烦恼。

现实生活中，我们都要学着洒脱，学着接受，“爱过，就是慈悲”，爱一个人最大的幸福不是得到对方，而是让对方得到幸福。

人总是渴望爱情，追逐爱情，也最容易在爱情中迷失自己。恋爱中的人渴望能够爱对方多一点，尽情地打扮着自己，按照对方喜欢的样子打扮自己，按照对方喜欢的方式去生活，以为这样就是爱的表现。

但这并不是爱，爱情是爱和爱的表达，别总想着“他怎么样说、他怎么想”，如果你只有爱，却不会表达爱，那么如果你们分开，你也要负一半的责任。不是对方放弃你，而是你自己首先选择放弃了自己。

爱情是盲目的，所以有“情人眼里出西施”。但在古代，很多人的婚姻是“父母之命，媒妁之言”，所以很多夫妻在结婚之前并没有见过面。面对不称心的丈夫或妻子，又该怎么做呢？

晋代的许允结婚那天带着新婚的喜悦和期待进入洞房。因为很多人都对自己的新娘赞不绝口，所以在许允的想象中，妻子一定美若天仙才会赢得如此之多的赞美。可是，悠悠烛光下，许允看到的新娘并不美，甚至有点丑。失望之极的许允默默地站了一会儿，便转身准备离开洞房。

新娘看到新婚丈夫要离开，急忙拉住他的衣襟说：“新婚之夜，你就不高兴。这是怎么回事呢？”

许允闷闷不乐地说：“你知道什么样的妻子是好妻子吗？”新娘见丈夫一直用脊背对着自己，心领神会，便说：“古人说贤妻的标准是孝顺公婆、尊重丈夫、说话和气、干活利索，而且长得容貌姣好。我自知自己容貌一般，但是前几样我想我都能做到。容颜是天生的，我没法改变，可在其他方面我可以做得更好以弥补先天的不足。”见许允仍不做声，她又说：“别人都夸赞你读书读得很好，那我问你，一个读书人应有的好品德，你有哪几种呢？”

许允哼了一声，也不看她一眼说：“我全都具备。”“你都具备？”新娘微微一笑说，“据我所知，读书人的基本品德之一就是以德论人而不要以貌取人，妄下断论。看人要看品德，而你却没有做到，这不是重貌轻德吗？这样，你还能说自己具备所有的好品德吗？”

“这……这……”许允面红耳赤，答不出话来。

许允的妻子是贤惠的，她对丈夫的不敬依然平静宽容，和颜悦色，坦诚地表明自己的品德观，从而感动了丈夫。

经过一段时间的共同生活和逐渐深入地了解，许允发现妻子确实很有见识，也很有才干，便由衷地敬重她，与她成为一对和睦的伴侣。

许允妻劝诫丈夫的坦诚之心，不仅是一个家庭和睦的方法准则，还是一个人拥有融洽的人际关系的必要条件。其实生活中，和许允遇到的情况相近的问题是经常出现的，比如代沟隔阂、兄妹误解甚至为了家产对簿公堂。这时，如果我们像最初的许允一样冷眼以对、恶语伤人，只会让问题更加恶化。相比之下，双方坦诚相待、心平气和地解决遇到的问题，才是有益于冰释前嫌的明智之举。

人的一生会经历很多意想不到的波折，这些已经让我们应接不暇了，如果我们的避风港再起波澜，那还有谁能给我们安慰呢？如果家庭需要有个真佛，日用需要有种真道的话，那么一个和一个诚必然当之无愧。和气待人、互相尊重、以诚待人、处世温和的准则直到现在仍是值得人们恪守的。

4. 多情者多艰，寡情者少难。情之不敛，运无幸耳。

【译文】

重视情感的人艰辛多，缺乏情感的人磨难少。情感不加收敛，命运就不会有好结果。

【智慧解读】

爱得太深的人，往往受尽磨难，所谓“情深不坚”

就是这个道理。如果不收敛自己的情感，任由它们泛滥，一个人很可能会遭受命运的摧残。

爱是一种感觉，不爱也是一种感觉，而人往往难以明了心中的感觉到底是爱还是不爱。原来握在手里的，不一定就是我们真正拥有的；我们所拥有的，也不一定就是我们真正铭刻在心的。人生很多时候需要自觉地放弃，因为拥有的时候，我们也许正在失去，而放弃的时候，我们也许又在重新获得。

从前，有一座圆音寺，寺庙前的横梁上有个蜘蛛结了张网，经过了三千多年的修炼，蛛蛛佛性增加了不少。有一天，大风将一滴甘露吹到了蜘蛛网上。蜘蛛望着甘露，顿生喜爱之意，它觉得这是它最开心的几天。突然，又刮起了一阵大风，将甘露吹走了。蜘蛛很难过。这时佛祖来了，问它："蜘蛛，世间什么才是最珍贵的？"蜘蛛想到了甘露，对佛祖说："世间最珍贵的是'得不到'和'已失去'。"佛祖说："好，既然你有这样的认识，我让你到人间走一遭吧。"

蜘蛛投胎做了一个官宦家庭的小姐，名叫蛛儿。一晃，蛛儿到了 16 岁了，出落成了一个楚楚动人的少女。这一日，皇帝在后花园为新科状元郎甘鹿举行庆功宴席。宴席上来了许多妙龄少女，包括蛛儿，还有皇帝的小女儿长风公主。状元郎的才艺展示令众多少女为之倾倒，但蛛儿知道，这是佛祖赐予她的姻缘。

几天后，皇帝下诏，命甘鹿和长风公主完婚，蛛儿和太子芝草完婚。这一消息对蛛儿来讲如同晴天霹雳，她怎么也想不通，佛祖竟然这样对她。几日来，她不吃不喝，生命危在旦夕。太子芝草苦恋蛛儿，如果蛛儿死了，他也不想再活，便准备拔剑自刎。

这时，佛祖来了，对蛛儿灵魂说："蜘蛛，你可曾想过，甘露（甘鹿）是风（长风公主）带来的，最后也是风将它带走的。甘鹿是属于长风公主的，他对你不过是生命中的一段插曲。而太子芝草却是当年圆音寺门前的一棵小草，他看了你三千年，爱慕了你三千年，但你却从没有低下头看过它。蜘蛛，我再问你，世间什么才是最珍贵的？"

蜘蛛一下子大彻大悟，她对佛祖说："世间最珍贵的不是'得不到'和'已失去'，而是现在能把握的幸福。"刚说完，佛祖就离开了，蛛儿的灵魂也归位了，她睁开眼睛，看到正要自刎的太子芝草，她马上打落宝剑，和太子深情地抱在了一起……

在生活中，很多人都有过这种经验，强烈喜欢某一个人，但是不能走到一起，成了心中刻骨铭心的记忆。实际上有太多得不到的感情并不是爱情，只因记忆堆积久了，对方在我们心目中的分量重了，所以我们无法放下这段感情，而并不是对方这个人。也正因为这样，在情感这条路上，很多人走得非常艰辛。

爱，本来就是一件百转千回的事，说不定有那么一瞬你就会幡然悔悟——原来你也在这里。不要追求虚无缥缈的爱情，不要尝试飞蛾扑火，不要因为年轻就挥霍爱情。该放手的时候不要犹豫，不要让不值得的人一次又一次伤害我们。很多时候我们以为自己爱的是那个人，其实我们只是爱上那段爱情。

弘一大师割舍了妻儿，在世人眼中是无情的。然而，这种对亲人的无情恰恰反映出了他对世人的有情。

人们常说:“自古忠孝不能两全。”弘一大师对人生终极意义的追求与他的世俗家庭生活是矛盾的。他曾说:“在我二十三到二十六岁之间,是最幸福的。后来的一切都充满了悲伤与哀痛,直到出家前。”他因为现实的痛苦无法摆脱而出家,但这不是因逃避而出家,而是为了寻找答案,寻找解除世人心灵苦楚的答案而出家!

人们说:“情到深处转无情。”或许,他对人生的感情太深,所以才不肯将就,才非要彻底地清楚明白,这种坚决的态度,使他决绝地选择出家。但他不是无情的,而是多情的,正如佛祖释迦牟尼一样,因为多情才出家。

释迦牟尼佛原是喜马拉雅山山麓和恒河之间释迦部落的太子,原名乔达摩·悉达多。

一次,他和父王郊游,看见田中的农人,赤体裸背在烈日之下耕作;老牛拖着犁不得休息,还被鞭打得皮破血流;又见农田中被犁翻出的小虫、蚯蚓,被鸟雀竞相啄食,惨痛万分。看到这样一幅活生生的生存斗争图,他心中感到无限哀痛。他就在阎浮树下,端坐沉思。净饭王找到他,问他为何如此,他说:“看见世间众生互相吞食,心中感到万分难过,所以坐在这里沉思。”

某天,他乘车到了东门,于人群中看见一个老人,发白面皱,骨瘦如柴,手持拐杖,行动极其困难。车经南门,又看见一个病者,身瘦腹大,喘息呻吟,痛苦万分地在道旁挣扎。后来到了西门,遇到一族人抬着一具尸体。那尸体脓血流溢,恶臭难闻,随行的亲属痛哭流涕,使目睹者心酸。悉达多看到此等情景，感慨万分。想到世人不拘富贵贫贱，都逃不过生老病死的大关，乃叹道："日月易过，少年不常，老至如电，身形不支，气力衰虚，坐起苦极，我虽富贵，岂能独免，念及将来，甚可畏惊。"

悉达多的所见所闻，使他思考：为什么大多数人过着艰难困苦的生活呢？为什么人生常常遭受挫折和不幸呢？为什么每个人最后都难以逃脱死亡的命运呢？……为了得到人生诸多问题的答案，悉达多离开了王宫，离开了自己的父母、妻儿，选择出家修行。他三十五岁时，独自坐在尼连禅河边佛陀伽耶附近一棵菩提树下，努力探索人生问题。经过七天七夜的苦思冥想，战胜了种种烦恼魔障，他终于在黎明时豁然开朗，彻悟了人生无尽苦恼的根源和解脱轮回的方法。

弘一大师的出家，和释迦牟尼佛类似，他同情当时社会中众多受苦受难的民众，对生老病死、一切无常生起了厌离心。有句话说："小隐隐于野，中隐隐于市，大隐隐于朝。"若想寻求人生真谛又何必出家呢？可能，对于弘一大师而言，选择了出家的形式，便可以使他脱离人世间的各种无用的关系和烦恼事，专心致志地思考。况且，宗教具有很强的实践性，在探索的过程中实践了各种各样的修行方法，如果不出家，他是没有办法那么做的。

蹇卷七

1. 人困乃正，命顺乃奇。以正化奇，止为枢也。

【译文】

人生遇见挫折是正常的，命运一帆风顺反而让人奇怪。把逆境化为顺境，关键在于有所不为。

【智慧解读】

人的一生中，随时都会碰到各种困难和险境，如果我们仅仅盯着这些困难，看到的只会是绝望。在人生路途上，谁都会遭遇逆境，逆境是生活的一部分。逆境充满荆棘，却也蕴藏着成功的机遇。只要勇敢面对，就一定能从布满荆棘的路途中走出一条阳光大道。正如培根所说:“奇迹多是在厄运中出现的。”想成为一名生活中的强者，就要勇敢地向逆境宣战，像一名真正的水手那样投入生命的浪潮。

一个人若缺乏勇气，很容易就会倒下。而一个充满勇气的人，则可以无往而不至，甚至是无坚不摧。世间没有死胡同，就看你如何去寻找出路。正视困境，不在困难面前退缩，才不会让自己心灵荒芜，才不会无路可走。

道本最初连自己的名字都不会写，却在大阪的一所中学当了几十年的校工。尽管工资不多，但他已经很满足生活为他所安排的一切。就在他快要退休时，新上任的校长以他“连字都不认识，却在校园工作，太不可思议了”为由，将他辞退了。

道本恋恋不舍地离开了校园。像往常一样，他去为自己的晚餐买半磅香肠，但快到食品店门前时，他忽然想起食品店已经关门多日了。而不巧的是，附近街区竟然没有第二家卖香肠的。忽然，一个念头在他脑海里闪过——为什么我不开一家专卖香肠的小店呢？他很快拿出自己仅有的一点积蓄开了一家食品店，专门卖起香肠来。

因为道本灵活多变的经营，十年后，他成了一家熟食加工公司的总裁，他的香肠连锁店遍及大阪的大街小巷，并且是产、供、销“一条龙”服务，颇有名气的道本香肠制作技术学校也应运而生。

一天，当年辞退他的校长得知这位著名的总裁识字不多时，便十分敬佩地称赞他：“道本先生，您没有受过正规的学校教育，却拥有如此成功的事业，实在是太不可思议了。”

道本诚恳地回答：“真感谢您当初辞退了我，让我摔了跟头，从那之后我才认识到自己还能干更多的事情。否则，我现在肯定还是一位靠一点退休金过日子的校工。”

正如道本一样，成功者首先是从逆境中崛起的。逆境可以锻炼一个人的品格，也可以激发一个人向上发展的勇气和潜力。当被逼得退无可退、无路可走时，人们往往在最后的时刻想出办法来自救，无形之中反而促成了人生的辉煌。所以，我们应该感谢逆境和难题，感谢其中所孕育的成功。

任何人或多或少都会遇到或大或小的坎坷颠簸，都有不顺的时候，这是很正常的，无须悲伤，无须抱怨，更不能绝望。世上没有绝望的处境，只有对处境绝望的人。只要勇敢面对，世界上就没有过不去的坎。

在我们陷入逆境时，一味地埋怨和诅咒是无济于事的，那只会让我们变得更加沮丧而觉得无望。与其苦苦等待，不如点燃自己手中仅有的“火种”和希望，去战胜黑暗，摆脱困境，为自己创造一个光明的前程。

在灰色的逆境中，不要让冷酷的命运窃喜，命运既然来凌辱我们，我们就应该用处之泰然的态度予以报复。命运从来不相信抱怨，只相信抗争命运的人。强者的生活就是面对和克服那些像潮流一样涌来的逆境，他们不会放过“往上爬”的机会，因为他们经历了太多的逆境。在现实中，我们看到许多成功者都来自于不利的环境，但他们总能够从被逆境淹没的世界中勇敢地走出来。

著名作家沈从文是一个没有高学历却有大学问的学者。当年他怀着梦想只身来到北京闯荡，一边在北大做旁听生，一边阅读大量书籍，并与诸多大师结识，不断成长。后来，他带着一身泥土气息闯入十里洋场的上海，不久，即以灵气飘逸的文字震惊文坛。

1928年，时年二十六岁的沈从文被当时任中国公学校长的胡适聘为该校讲师。

在此之前，沈从文以行云流水的文笔描写真实的情感，赢得了一大批读者，在文坛享有很高的声望。但让他给大学生讲课却是头一回。为了讲好第一堂课，他进行了认真的准备，精心编定了讲义。尽管如此，第一天走上讲台，看见台下黑压压地坐满了学生，他心里仍不免发虚。面对台下满堂的学子，沈从文竟整整呆立了十分钟，一句话也说不出。后来开始讲课了，由于心情紧张，他只顾低着头念讲义，事先设计在中间插讲的内容全都忘得一干二净。结果，原先准备的一堂课，十分钟就讲完了。接下来的几十分钟怎么打发？他心慌意乱，冷汗顺着脊背直淌。这样的尴尬场面，他以前可从来没有经历过。

后来，沈从文没有天南地北地瞎扯来硬撑“面子”，而是老老实实拿起粉笔在黑板上写道：“今天是我第一次上课，人很多，我害怕了！”于是，这老实可爱的坦言“害怕”，引起全堂一阵善意的笑声……

胡适深知沈从文的学识、潜力和为人，在听说这次讲课的经过后，不仅没有批评，反而不失幽默地说：“沈从文的第一次上课成功了！”后来，一位当时听过这堂课的学生在文章中写道，沈先生的坦率、赤诚令人钦佩，这是有生以来听过的最有意义的一堂课。

此后，沈从文曾先后在西南联大师范学院和北大任教。正因为不是“科班”出身，他不墨守成规，而代之以别开生面的言传身教的文学教育，获得了成功。而他那“成功”的第一课，则在学生之中不断流传，成为他率直性格的真实写照。

世界上唯有真实最能打动人心。一句“我害怕了”，袒露了一代文学巨匠的质朴内心，面对失败不敷衍、不做作、不逃避，能老实可爱地袒露内心的人，当然会得到别人的谅解。其实，不仅是面对失败挫折

时我们要保留初心，一个人功德圆满、名利双收时更应该以一颗初心警醒自己，不因此时顺境就放松自己为人处世的原则。

生活在世事纷扰的世界里，我们应该让自己的心灵在纷扰的世事中学会静止。在事业上遭受失败、穷途末路时，我们应该保持初创事业时的雄心和信念；当一个人功成圆满时，守住曾经拥有过的动态思维，想想如何让成功升值。当我们学会了静止的艺术，生命就会在时间的流逝中永远保持健康，让心灵和功业细水长流。

要战胜失败所带来的挫折感，就要善于挖掘、利用自身的“资源”。应该说当今社会的发展机遇已大大增加，只要敢于尝试，勇于拼搏，就一定会有所作为。虽然有时个体不能改变“环境”的“安排”，但谁也无法剥夺其作为“自我主人”的权利。

只有经历了风雨的彩虹才会放出美丽的光彩，只有从困境中走出的人才是真正的强者。

2. 事变非智勿晓，事本非止勿存。天灾示警，逆之必亡；人祸告诫，省之固益。躁生百端，困出妄念，非止莫阻害之蔓焉。

【译文】

有智慧的人，才能知晓事情的变化。事情的根本不知停止就无法长存。天降灾难作为警告，违背它就一定会遭遇灭亡；人遇祸乱作为警戒，反省它肯定能受益。

毛躁前进产生无穷的祸端，困境容易生出邪恶的念头，不停止就不能阻止害处的蔓延。

【智慧解读】

一位名人曾说过：“没有永久的幸福，也没有永久的不幸。”尽管在生活中，我们每个人都会遇到各种各样的挫折和不幸，而且有的人不仅仅要承受一种磨难，有的人受打击的时间可以长达几年、十几年，但是让人极度讨厌的厄运也有它的“致命弱点”，那就是它不会持久存在。

一个人的成功，可以从恶劣环境中奋发而来，所谓“十年寒窗无人问，一举成名天下知”，苦尽而甘来，足以享受成功的喜悦；在顺境中不安于现状，不断求进，也能收获成功。逆与顺是相对的，逆境中条件艰难，需要不气馁；顺境中谨防止步不前，需要不自满。只有不自满，为志向而奋发，才会有抗争之乐，否则就会由顺境转向逆境，乐极而生悲。

人的一生之中，不可能总是一帆风顺，难免会遇到点儿风风浪浪；也不可能总是坎坷歧途，总会有云散日出之时。如果人们因为一时的顺境而迷失自我，或者因为一时的逆境而自甘沉落，那么他们离失败也就不远了。相反，如果人们能够在春风得意之时居安思危，在困厄缠身之际充满希望，那么成功之路也就在脚下了。物极必反，乐极也亦生悲，便是这个道理。

唐玄宗在执政前期能够励精图治，却不曾想待到开元盛世以后，他便荒废朝政，专宠于杨贵妃，沉溺于享乐之中。乐极生悲，天宝十五年（756）正月，安禄山反叛唐王朝，自称大燕皇帝。不久，叛军攻破潼关，长安已十分危急，唐玄宗带着杨贵妃和太子匆匆西逃。玄宗行到马嵬坡前时，军队发生哗变，杨国忠和他的儿子被杀，三军将士要求杀死杨贵妃以平众怒。玄宗在万不得已之下，只好赐以白绫，让杨贵妃在梨树下自缢。

当李隆基逃往四川西南部时，正值霖雨，玄宗在栈道雨中听到铃声，其声在山谷间回响。于是触景生情作了《雨霖铃》曲，以表达他的悲情，并把这曲传授给了梨园子弟张野狐。后玄宗临幸华清宫，物是人非，命野狐奏《雨霖铃》曲，曲声凄凉，他闻之不觉流涕，左右无不潸然泪下。李隆基为杨贵妃美色所迷，耽于酒色，乐极生悲。马嵬驿之变后，李隆基一直痛不欲生，一睹旧物，一思旧情，终生苦楚，直至驾崩。

前人的遗憾令人唏嘘，古往今来，无数文人都用手中的一支素笔重新描写过这段可悲可叹的爱情故事。无奈逝者已矣，徒留情耳。

上天是公平的，乐极易生悲，苦尽甘自来。宝剑锋从磨砺出，梅花香自苦寒来。生命中本就有许多不如意的事，无论谁都应该学会忍受。绝处逢生，天无绝人之路，只要有百折不挠的勇气和决心，黑夜过后一定是黎明的曙光，寒冬过后一定是雪花初融的春天。自古以来，任何人想站在群山的最高处，都得先学会如何忍受寒冷和黑暗。

任何时候，都不要因厄运而气馁，厄运不会时时伴随你，阴云之后的阳光很快就会来临。经济不景气，大学生刚毕业就待业，裁员、下岗、减薪……这些词汇每天都充斥在工薪阶层的耳旁，扰得人们寝食难安；消费水平提高、物价上涨、孩子上学问题、户口问题、买不起房子买不起车、租个房子还要整天面对苛刻的房东……面对如此尴尬的处境，人们不禁感叹："这日子真的是没法过了。"

有些人一遇挫折就垂头丧气、意志消沉，甚至用死来躲避厄运的打击。这是弱者的表现，可以说生比死更需要勇气。死只需要一时的勇气，生则需要一世的勇气。每个人的一生中都可能有消沉的时候，居里夫人曾两次想过自杀，奥斯特洛夫斯基也曾用手枪对准过自己的脑袋，但他们最终都以顽强的意志面对生活，并获得了巨大的成功。可见，一时的消沉并不可怕，可怕的是在消沉中不能自拔。

做一个生命的强者，就要在任何时候都不放弃希望，相信自己最终会等到转机来临的那一天。

古时候，两军对峙，城市被围，情况危急。守城的将军派一名士兵去河对岸的另一座城市求援，假如救兵在明天中午赶不回来，这座城市就将沦陷。

整整两个时辰过去了，这名士兵才来到河边的渡口。

平时渡口这里会有几只木船摆渡，但是由于兵荒马乱，船夫全都避难去了。

本来他是可以游泳过去的，但是现在是数九寒天，河水太冷，河面太宽，而敌人的追兵随时可能出现。

他的头发都快愁白了，假如过不了河，不仅自己会当俘虏，整个城市也会落在敌人手里。万般无奈，他只得在河边静静地等待。

这是一生中最难熬的一夜，他觉得自己都快要冻死了。

他真是四面楚歌、走投无路了。自己不是冻死，就是饿死，要么就是落在敌人手里被杀死。

更糟的是，到了夜里，起了北风，下起了鹅毛大雪。

他冻得瑟缩成一团，他甚至连抱怨自己命苦的力气都没有了。

此时，他的心里只有一个念头：活下来！

他暗暗祈求：上天啊，求你再让我活一分钟，求你让我再活一分钟！也许他的祈求真的感动了上天，当他气息奄奄的时候，他看到东方渐渐发亮。等天亮时他惊奇地发现，那条阻挡他前进的大河上面，已经结了一层冰壳。他往河面上试着走了几步，发现冰冻得非常结实，他完全可以从上面走过去。

他欣喜若狂，牵着马从上面轻松地走过了河面。

因为没有放弃活下去的希望，所以这名士兵等到了转机，从而给自己等来了重生的机会。可见，事事没有绝路，只要我们不放弃希望，那么即使是再危难的处境，也可能绝处逢生。

尽管在生活中，我们每个人都会遇到各种各样的磨难和考验，可是只有能够认真过日子的人，才能在最后的关头突破自己，创造生活的奇迹。其实，生活中给予我们每个人的机会都是相同的，越是艰难的岁月，就越能提供给我们进步的空间。所以，不要总是抱怨日子不好过，只要我们坚持，认真过好每一天，我们就能抓住希望，让自己坚强起来，在艰难中给自己一点希望，再苦也要笑一笑。

3. 视己勿重者重，视人为轻者轻。患以心生，以蹇为乐，蹇不为蹇矣。

【译文】

不把自己看得太过重要的人被别人所看重，轻贱别人也被别人轻视。祸患从自己思想中生出，如果把逆境视为乐事，困境就不再是困境。

【智慧解读】

人生在世谁也无法预料成功与失败，生活中成功的人固然有，但失败的人也不少。但耀眼的花环总是戴在成功者头上，失败者却面临穷途末路。对失败者来说，面对这样的情况，最要紧的是要静下心来。

在生活中，很多事情并不是我们努力了就一定能把它做好，也不是你一路向前冲就一定能够到达理想的目的地。如果环境和其他的外在条件不允许，或者说我们的坚持有可能给自己带来灾难的时候，莫不如先往后退一步，保存实力，以备来日之需。

汉惠帝六年（前 189），相国曹参去世。陈平升任左丞相，安国侯王陵做了右丞相，位在陈平之上。

王陵、陈平并相的第二年，汉惠帝死，太子刘恭继位。少帝刘恭还是个婴儿，不能处理政事，吕太后名正言顺地替他临朝，主持朝政。

吕太后为了巩固自己的统治，打算封自己娘家侄儿为诸侯王，首先征询右丞相王陵的意见。王陵性情耿直，直截了当地说："高帝（刘邦的庙号）在世时，杀白马和大臣们立下盟约，非刘氏而王，天下共击之。现在立姓吕的人为王，违背高帝的盟约。"

吕后听了很不高兴，转而询问左丞相陈平的看法。陈平说："高帝平定天下，分封刘姓子弟为王，现在太后临朝，分封吕姓子弟为王也没什么不可以。"吕后点了点头，十分高兴。散朝以后，王陵责备陈平为奉承太后愧对高帝。听了王陵的责备，陈平一点儿也没生气，而是真诚地劝了王陵一番。

陈平看得很清楚，在当时的情况下，根本不可能阻止吕后封诸吕为王，只有保住自己的官职，才能和诸吕进行长期的斗争。因此，眼前不宜触怒吕后，暂且迎合她，以后再伺机而动，方为上策。

事实证明，陈平采取的斗争策略是高明的。吕后恨直言进谏的王陵不顺她的旨意，假意提拔王陵做少帝的老师，实际上夺去了他的相权。王陵被罢相之后，吕后提升陈平为右丞相，同时任命自己的亲信辟阳侯审食其为左丞相。陈平知道，吕后狡诈阴毒，生性多疑，栋梁干臣如果锋芒毕露，就会因为震主之威而遭到疑忌，导致不测之祸，必须韬光养晦，使吕后放松对自己的警觉，才能保住自己的地位。

吕后的妹妹吕须恨陈平当初替刘邦谋划擒拿她的丈夫樊哙，多次在吕后面前进谗言："陈平做丞相不理政事，每天老是喝酒，和归女游乐。"

吕后听人报告陈平的这些行为，喜在心头，认为陈平贪图享受，不过是个酒色之徒。一次，她竟然当着吕须的面，和陈平套交情说："俗话说，妇女和小孩子的话，万万不可听信。您和我是什么关系，用不着怕吕须的谗言。"

陈平将计就计，假意顺从吕后。吕后封诸吕为王，陈平无不从命。他费尽心机固守相位，暗中保护刘氏子弟，等待时机恢复刘氏政权。

公元前 180 年，吕后一死，陈平就和太尉周勃合谋，诛灭吕氏家族，拥立代王为孝文皇帝，恢复了刘氏天下。

压力面前后退一步，可以为自己赢得生存和发展的机会。千万不可为了一时意气而盲目向前，那样既于事无补，又让自己反受其害。陈平面对不利的局面，并没有意气用事，而是忍辱负重，终于完成了自己的心愿。

"有志者、事竟成，破釜沉舟，百二秦关终属楚；苦心人、天不负，卧薪尝胆，三千越甲可吞吴。"对于蒲松龄的这段话，大多数人都不陌生，而这段话中"卧薪尝胆"一词更是家喻户晓。

春秋时期，越王勾践在一次战争中被吴国夫差打败，他带领所剩的五千兵马逃到了会稽，还是被吴军围了个水泄不通。于是越王只能向吴国屈辱求和。在吴王的威逼之下，勾践到吴国宫廷中服了三年的苦役，过着牛马不如的生活。勾践被释放回国之后，为了奋发图强报仇雪耻，他睡觉躺在硬柴上，坐卧饮食都要尝一下苦胆，告诉自己不能忘记国家破亡的痛楚，激励自己的勇气和斗志。经过几十年的休养生息和不懈努力，他最终战胜了吴国。

"天将降大任于斯人也，必先苦其心志，劳其筋骨，饿其体肤，空乏其身，行拂乱其所为，所以动心忍性，曾益其所不能。”这段话用在越王勾践身上，再恰当不过了。在国家危难之时，他不但没有消沉，反而能够承担起复兴国家的重任，卧薪尝胆，屈尊降贵，只是为了捕捉时机，等待苦尽甘来的那一天。

人生在世，谁都会碰到这样或那样让人不快的小冲突、小摩擦，谁也不可能一帆风顺，毫无困难地度过一生。

4. 穷不言富，贱不趋贵。忍辱为大，不怒为尊。蹇非敌也，敌乃乱焉。

【译文】

穷困不可以说富贵的事，贫贱不要去攀附富贵的人。忍受屈辱是最重要的，不发怨怒是最尊贵的。困境不是敌人，真正的敌人是放纵胡为。

【智慧解读】

人在没有得到一种东西以前便会以这种东西作为奋斗目标，而有了这种东西便有了利益之争。“共患难易，共富贵难”，富贵之家往往为了争权夺利而父子交兵或兄弟阋墙。汉武帝、武则天、唐太宗等帝王无不为了权力而骨肉相残，二十四史中这样的事例随处可见。残暴的隋炀帝，当时已经被册立为太子，可是为了早日当皇帝竟谋杀亲父隋文帝继位。

人往往是有了钱还想要更多些，有了权还想要更大些，以至于成为生活中终日钻营处处投机的小人，像苍蝇一样四处飞舞，个人的私欲总处于膨胀状态。如此境遇，的确需要人们提高修养水平，用理智来战胜私欲、物欲，否则亲情何在，富贵不保。

古代贤者认为，富有的人不如贫穷的人无忧无虑，原因是财富越多，失去时损失越大；地位高的人不如地位低的人安生乐活，原因是爬得越高，摔下来时伤得会越惨，和珅的例子就是佐证。所以说，钱财富足不是好事，日里防抢，夜里防偷；官位显赫也不值得羡慕，随时会遭人嫉妒和暗算，一定也不会安生。

春秋时，郑国郑武公的儿子寤生继位为君，他就是有名的郑庄公。他的母亲姜氏偏爱庄公的弟弟共叔段，便请庄公将京城封给共叔段。公子吕知道后，劝告郑庄公说："京城是郑国的都城，俗话说天无二日，国无二君，这个地方怎么能封给他呢？请您另外选一块地方封赏。"郑庄公故作无奈说："这是国母的意见，不答应恐怕不行。"

共叔段到达封地京城后，自恃有母后这座大靠山，便开始胡作非为，无所顾忌，根本不把哥哥庄公放在眼里。公子吕看到这种情况后，便敦请庄公发兵讨伐他。庄公说："他的罪恶目前还不显著，这样去讨伐他恐怕还未到时机。暂且再等一段时间，等他多行不义再去讨伐，就名正言顺了。"共叔段这时已准备发动叛乱，郑庄公得知后认为时机已到，高兴地说："现在终于可以除掉这个眼中钉了。"

于是，他假意去朝见周天子，暗中却调兵遣将。共叔段不知是计，以为天赐良机，便同母后姜氏密谋，乘庄公离开京城之际，趁机发动兵变想篡夺君位。正在他们得意的时候，郑庄公早已抄近路发兵攻取京城，并迅速攻占了京城，共叔段见大势已去，只好逃到鄢地避难，郑庄公依然不依不饶派兵追杀，并将母后姜氏打入冷宫。

血浓于水，可是当利益出现时，郑庄公不仅与弟弟骨肉相残，连母亲也打入了冷宫。翻开皇家的历史，子弑父，兄杀弟，为了权力而骨肉相残、猜疑嫉妒、篡权夺国、惨无人道的事例比比皆是。可是用残酷的亲情换来的权利富贵，意义又何在呢？

权势等同枷锁，富贵有如浮云。生前枉费心千万，死后空持手一双。为何不将富贵平常看待，泰然处之，远离名利纷扰和触目惊心的争斗，给自己的心灵一片可自由驰骋的广袤天空。

识时务者为俊杰，有大志成大器者，善于寻找机会，待机而动。“三年不鸣，一鸣惊人；三年不飞，一飞冲天”的楚庄王就深谙其中的道理。一个宏图大略的政治家、谋略家，绝不会每天喋喋不休地阐述自己的观点和见解。大多数人都深谋远虑，看准机会再行动，并且不鸣则已，一鸣惊人。

在楚庄王最初继位的三年里，他从不过问朝政，日夜沉浸在田猎与酒色歌舞之中，甚至贴出布告：“哪一个胆敢向我提意见，立即斩首，绝不宽恕。”其时，邻国不断侵犯，国内的许多大臣也贪赃枉法，玩忽职守，正是内忧外患之时。一些忠于国事的大臣很是忧虑。可是面对如此昏庸之君，无人敢去进谏。

当然这里并不包括那些正直忠诚的大臣们，当时楚大夫伍举看到朝政日益腐败，心中异常着急，冒死进宫求见庄王。此人个子不高，但语言机智而又风趣。他知道，如果直接向庄王提出看法，必然会碰钉子，便想了个巧妙的办法。

伍举来到宫中，只见庄王美人在怀，正在调戏饮酒，殿上乐队鼓乐齐鸣，好不热闹。庄王看见伍举来了，笑着说："你是来喝酒的，还是来听音乐的？"伍举说："都不是。我有一件事不明白，特地来请教大王。"

庄王问："什么事？"

伍举说："南山上飞来一只大鸟，已经三年不飞也不叫，不知是什么原因，也不知道这是只什么鸟。"

庄王说："这不是一只平凡之鸟。它三年不飞，一飞必定冲上云霄；它三年不叫，一叫就会惊人。你下去吧，你的意思我已经明白了。"

数月之后，庄王仍不改逸乐故态，不仅不改，且愈加荒淫无度。另一位大夫苏从认为这样继续下去，后果将不堪设想。他决心不用伍举委婉的劝谏方式，进宫直截了当地劝说庄王。

庄王说："你没有见到我颁布的命令吗？"

苏从说："见过。但我身为国家重臣，享受着国家的俸禄。如果因为贪生怕死而不敢指出君王的过失，那就不是忠臣。如果我的死能促使君王清醒过来，那我愿意一死。"

此语一出，楚庄王猛然起立，撤去歌舞乐队，立即临朝听政。他从此重用伍举及苏从两人，并经过调查核实，把在这三年中趁机营私舞弊的几百名官员尽数清除，把忠于职守的几百人予以提拔。庄王亲政以后，政治清明，百姓安居乐业。就在这一年，庄王兴兵灭庸（今湖北竹山），不久又起兵攻宋，缴获战车五百辆之多。自此楚国迅速强大起来。

韬晦可存身，亦可积蓄力量，但永远深藏不露、

无所作为终究不是成大事者所为。毕竟韬光养晦只是实现目标的手段，而不是最终目的。韬晦者在经过一段时间的掩饰潜伏，麻痹了敌人的警觉之后，一旦时机成熟，就应该立刻行动起来，迅速撕去伪装，毫不迟疑地向着预定的目标挺进。要以这种“三年不鸣，一鸣惊人；三年不飞，一飞冲天”的劲头，打敌人一个措手不及，从而成就自己的“霸业”。

楚庄王蛰伏的这三年时间，他并没有因享乐而迷失本性，只是装作沉迷逸乐，以便观察下属们的真心，选用真正忠心而又有才德的人来辅佐朝政。待三年一过，条件成熟，静极而动，一飞冲天。他用“三年不飞不鸣”的韬晦之术，在沉潜中养精蓄锐，创下一代伟业，值得现代人思考与借鉴。

释怨卷八

1. 世之不公，人怨难止。穷富为仇，弥祸不消。

【译文】

世道不公平，人们就很难停止怨恨。穷人与富人互相仇视，遍布的祸患就无法消除。

【智慧解读】

生活中，我们常常以为自己通过抱怨可以博得别人的同情，但就像鲁迅笔下的祥林嫂一样，不幸的事情在别人的耳朵里已经长茧，当初的同情也可能化成嘲笑，成为别人茶余饭后的笑柄。而对于我们每一个人来说，遇到不幸的事情，抱怨根本不能让失去的东西重新得到，反而更加影响自己的生活，最终失去得越来越多。

人非圣贤，孰能无过？面对错误和隔膜，不同的处理方式，会有不同的结果。在众多的处理方式中，体谅、和气等美德往往是最能发挥作用的。

孔子的七十二贤人中，有个叫闵子骞的人。这个人幼年丧母，父亲再娶后，又常受继母忽视和冷落。继母将大部分的时间、精力和爱都给了自己的两个亲生儿子，而对闵子骞常常冷言冷语，偏心十分严重。

有一年冬天，继母同时给三个孩子做了新的棉袄。在一个大风雪的日子，他们的父亲带着三个孩子外出。四个人一同坐在牛车上，虽然迎着风雪，但是大家都面露喜色。可是随赶路的时间越来越长，继母的两个孩子只是感觉到畏寒缩起了脖子，可是闵子骞虽然也穿了继母给自己做的新棉袄，但却感到寒冷难耐，手脚也渐渐失去了知觉，甚至连扶住牛车栏杆的力量都没有了，最后他跌下了牛车，他的棉袄也在滚动的过程中被刮破了。父亲赶忙扶起自己的儿子，却无意中发现从破洞中飘出的芦苇絮。原来继母在给三个孩子缝棉袄时，自己孩子的用的是棉花，而闵子骞的则是用的芦苇絮。

父亲气得暴跳如雷，驱车就往回赶。一进门就喊："你太歹毒了，做人母亲怎么可以这么偏心呢？"说着就要把他的妻子往外赶。这时闵子骞却跪在了地上，抱着父亲的腿说："你就饶了母亲这一次吧。如果母亲走了，就不只我一个人受冻了。"

闵子骞的这番话感动了自己的父亲，也感动了他的继母。从此，继母对他视如己出。

虽然闵子骞受到过继母不公平的待遇，但是在关键时刻，他用自己的爱心挽救了有可能走向破碎的家庭。对重组的家庭来说，体谅和宽容可以弥合裂缝，更何况是有着血脉联系的家庭呢？

面对世界上的不公平，要学会不争、不辩。这一做人哲学中体现的是一种从容不迫的气度，一种谦抑为人的态度，这正是中国人的人格理想。世人会耍小聪明者居多，事事、处处、时时都在争名夺利，争功诿过，却往往因小失大。而有大智慧者，则知道该舍

小利时，便舍小利；该不争时，便不争；该糊涂时，便糊涂。

20 世纪 50 年代，中国台湾的许多商人知道于右任是著名书法家，于是他们纷纷在自己的公司、店铺、饭店门口挂起了署名于右任的假招牌，想用于右任的名头来招揽顾客。

一天，于右任的一个学生急匆匆地来见老师，说:“老师，我今天中午去一家平时常去的羊肉泡馍馆吃饭，想不到他们居然也挂起了以您的名义题写的招牌。他们这样明目张胆地欺世盗名，您老说可气不可气？”正在练习书法的于右任“哦”了一声，放下毛笔然后缓缓地问:“他们那块招牌上的字写得好不好？”

“一点儿也不好！”学生道，“字写得歪歪斜斜，难看死了。下面还签上老师您的大名，连我看着都觉得害臊！”

“这可不行！”于右任沉思道。

“我去把那幅字摘下来！”学生说完，转身要走，但被于右任喊住了。

“慢着，你等等。”

于右任顺手从书案旁拿过一张宣纸，拎起毛笔在纸上写下些什么，然后交给恭候在一旁的学生，说:“你去把这幅字交给店老板。”

学生接过宣纸一看，不由得呆住了。只见纸上写着笔墨流畅、铁画银勾的“羊肉泡馍馆”几个大字，落款处则是“于右任题”几个小字，并盖了一方私章。

“老师，您这……”此学生疑惑不解。

“哈哈。”于右任抚着长髯笑道，“你刚才不是说，那块假招牌的字实在是惨不忍睹吗？我不能砸了自己的招牌，坏了自己的名声！所以，帮忙帮到底，还是麻烦你跑一趟，把那块假的给换下来，如何？”

“噢，我明白了，学生遵命。”转怒为喜的学生拿着于右任的亲笔题字匆匆去了。

这样，这家羊肉泡馍馆的店主竟以一块假招牌换来了大书法家于右任的真墨宝，喜出望外之余，也因自己的做法而感到惭愧。

这件事情传开之后，于右任这一做法赢得了学生乃至商界人士的尊敬，他的名望更高了。

有一句话说得很好：“世界上怕就怕‘认真’二字。”还有一句话说得更妙：“人生难得糊涂。”这两句话听起来都很有道理，可是办事究竟是应该“认真”还是“糊涂”呢？糊涂学的观点是：该认真的要认真，该糊涂的要糊涂，这才是处世的大智慧。“大肚能容天下难容之事”，这是一种乐观豁达的人生态度。在人生中，谁都难免犯错，能以宽容诙谐的态度应对他人的过错，是大度的表现。故作糊涂不较真，反而能抬高自己。

2. 君子不念旧恶，旧恶害德也。小人存隙必报，必报自毁也。和而弗争，谋之首也。

【译文】

君子不计较以前的恩怨，计较以前的恩怨会损害君子的品行。小人心有隙怨就一定要报复，这样却只能自我毁灭。讲和而不争斗，这是谋略首先要考虑的。

【智慧解读】

君子在行事时，总是能够宽容大量，不计较之前的恩怨，从而让自己的德行更加深厚。胸襟广阔的人善于忘却，在为人处世时，他们总是淡忘自己的功劳，宽释别人，容忍别人，从而清除自己成功路上的绊脚石。光武帝刘秀之所以能开启汉代的中兴，其善于忘却的性情与宽宏的度量不能不说是其中的一个关键因素。

东汉光武帝刘秀在河北与自立为帝的王郎展开大战时，王郎节节败退，逃入邯郸城里。经过二十多天的围攻，刘秀大军攻破邯郸，杀死王郎，取得胜利。在清点缴获来的书信文件时，官员们发现了几千封和王郎私通的信件。这些信件的写作者都是刘秀这一方的人，有官吏，有平民，也有士兵，而信件的内容大都是吹捧王郎、攻击刘秀的。

看到这些信件后，有的人很气愤，说这些人吃里爬外，应该抓起来统统处死。曾经给王郎写过信的人，也都害怕刘秀怪罪，终日提心吊胆。

刘秀知道这件事后，立即召集文武百官，又叫人把那些信件取过来，连看也不看，就叫人当众把它们扔到火中烧掉了。刘秀对大家说："有人过去写信私通王郎，做了错事。但事情已过，可以既往不咎。希望那些过去做错事的人从此安下心来，努力供职。"刘秀的这种处理方法，使那些曾经私通王郎的人松了一口气。他们都从心眼里感激刘秀，甘愿为他效劳。

要想成就大事，必定要涉及用人。而用人除了知人善用外，最难的怕是容忍他们的过错了。如果抓住别人的错误不放，三天一提，五天一批，不仅会有损团队的锐气，还会降低自己的魅力。做到“人有怨于我，不可不忘”也不过刘秀这般。正是因为刘秀放下了别人的背叛才赢得了更多人的忠诚，这是他自己的胸怀和智慧，也是后人尊崇他的理由。

在现实生活中，我们要修炼这种胸怀气量，这是一种无须投资便能得到的高级精神滋补品。首先，我们要学会记住别人给过我们的帮助，哪怕滴水之恩，我们也要涌泉相报。其次，我们要反省自己给别人带去的麻烦，并尽量改正和弥补。最后，我们要学会淡忘，忘记自己给予别人的帮助，忘记别人给我们带来的不便。当我们这样去做的时候，我们和他人交往时就会淡去不平、烦恼和怨恨，提纯友情、快乐和幸福，最后得到的是融洽的人际关系。

我们在实际生活中会遇到形形色色的人，有的诚实、率真、胸无城府，有的则虚伪、圆滑、两面三刀。面对人心难辨的情况，做人如果不保持内心明慧、明察秋毫，就很有可能被人欺骗、利用。小人总是有很多过失被人发现，因此一般人都喜欢当面拆穿，严词苛责，但实际上对于这样的人，还是避开为好。

所谓“恶人自有恶人磨”，指的是小人自然有人来降制他。和小人寻仇的一定是小人，但小人去寻仇的手段更为恶毒；君子之所以不跟小人结仇，固然可以避其险恶之毒，但更大程度上是因为不屑寻仇，无暇为仇。此外，君子以其心怀坦荡、正直无私而不屑于是非，讨厌阿谀奉承。自古便有“说是非者便是是非人”的说法，而阿谀奉迎者必有私心私利，很可能因其私而害人，这是君子所不容的，更勿谈同流合污了。

徐文远是名门之后，他幼年跟随父亲到了长安，那时候他们的生活十分困难，难以自给。他勤奋好学，通读经书，终有所成，后来官居隋朝的国子博士，越王杨侗还请他担任祭酒一职。

隋朝末年，洛阳一带发生了饥荒，徐文远只好外出打柴来维持生计，凑巧碰上李密，于是被李密请进了自己的军队。李密曾是徐文远的学生，他请徐文远坐在上座，自己则率领手下士兵向他参拜行礼，请求他为自己效力。

徐文远对李密说：“如果将军你决心效仿伊尹、霍光，在危险之际辅佐皇室，那我虽然年迈，仍然希望能为你尽心尽力。但如果你要学王莽、董卓，在皇室遭遇危难的时刻，趁机篡位夺权，那我这个年迈体衰之人就不能帮你什么了。”

后来，李密战败，徐文远归属了王世充。王世充也曾是徐文远的学生，他见到徐文远十分高兴，赐给他锦衣玉食。徐文远每次见到王世充，总要十分谦恭地对他行礼。

有人问他：“听说您对李密十分倨傲，但却对王世充恭敬万分，这是为什么呢？”徐文远回答说：“李密是个谦谦君子，所以像郦生对待刘邦那样用狂傲的方式对待他，他也能够接受；王世充却是个阴险小人，即使是老朋友也可能会被他陷害杀死，所以我必须小心谨慎地与他相处。我针对不同的人而采取相应的对策，难道不应该如此吗？”等到王世充归顺唐朝后，徐文远又被任命为国子博士，很受唐太宗李世民的重用。

徐文远之所以能在隋唐之际的乱世保全自己，并且屡被重用，就是因为他针对不同的人有不同的应对之法，懂得灵活处世。对待坦荡的君子，他无所保留，甚至有些倨傲；而对待气量狭小的小人，他就十分谨慎，如履薄冰。君子坦荡荡，你可以拒绝他的要求，他不会介怀。君子有缺点，你指出来，他感激不尽。与君子交朋友，可以坦露心迹，不用有戒心。对小人却万万不可，与之相处，需要“战战兢兢，如履薄冰”“待小人要宽，防小人要严”，要礼而敬之，敬而远之。

有人以水比喻君子，以油比喻小人，说道：“水味淡，其性洁，其色素，可以洗涤衣物，沸后加油不会溅出，颇似君子有包容之度；而油则味浓，其性滑，其色重，可以污染衣物，沸后加水必四溅，又颇似小人无包容之心。”生活之中，人们难免与各种人打交道，君子易处，小人难待。目光如炬，识得出水油之别，方能事事无虞。

在生活和工作中，我们每个人都难免会遇到让自己不如意的人和事。如果双方都得理不饶人，只会将事情越闹越大。所以，遇到这样的情况我们一定要学会去适当地包容，才能使“小人不恶”。

而和君子相交，气度不再指向忍让错误，而更倾向于包容差异、把握交往的距离。君子立身往往高于常人，注重涵养礼数，这样的人宁可孤傲一世，也不惜求和世俗相同。既然如此，和君子相处时，我们不妨把尊敬留给他，而把距离留在心底。所谓君子之交淡如水，高明的人和君子相交，总是包容差异、成就和谐。

水至清则无鱼，人至察则无徒，一个人要想成就大业，左右逢源，就应该戒除极端，谙熟中庸之道，学会以宽容的心态、平和的气度对待别人、悦纳别人，当忍则忍，当让则让，千方不能因为行事偏激而遭人记恨。

一个人要想创造一番事业，就必须有恢宏的气度，能容天下的人才能为天下人所容，所以凡是一个能创大事业的人，一定有容忍人的度量，容忍小人虽然在实际上很难做到，但为了事业上的成功，为了照顾大局，就必须有“厚德载物，雅量容人”的胸襟，应该说谦让是美德，容人同样为美德。

传说有一天，苏轼准备去拜访王安石。不想拜访时正好赶上王安石午睡，苏轼便被书童迎入东书房等候。

苏轼闲坐无事，见砚下有一方素笺，写了“西风昨夜过园林，吹落黄花满地金”两句诗便无下文了。于是他不屑地一笑说：“完全违背事实。”在苏轼看来，菊花最能耐久，在深秋即使焦干枯烂，也不会落瓣。一念及此，苏轼按捺不住，依韵添了两句：“秋花不比春花落，说与诗人仔细吟。”

待写下后，又想如此抢白宰相，只怕又会惹来麻烦，但是若把诗稿撕了，又不成体统。左思右想，都觉不妥，便将诗稿放回原处，告辞回去了。后来，皇上降诏，贬苏轼为黄州团练副使。

苏轼在黄州任职将近一年，转眼便已深秋，这几日忽然起了大风。风息之后，后园菊花棚下，满地铺金，枝上全无一朵。苏轼一时目瞪口呆，半晌无语。此时方知黄州菊花果然落瓣！不禁对友人道：“小弟被贬，原以为宰相是公报私仇。谁知是我错了。切记啊，不可轻易讥笑人，正所谓经一事，长一智呀。”

豁达的心胸可以容纳百川，而自视清高，无法忍受别人错误的人往往给自身招致祸患。人还是谦虚点好，即使有才华，也不要卖弄，特别是不要在行家面前卖弄，弄不好是要自取其辱的。

人生在世，首先学会做个容纳世间万物的入世者，才能拥有出世的境界、不一样的人生。因此，我们也应该像大地一样，有适当的接纳污垢的气量，不对自己不了解的事妄下论断、同时容纳别人的不足。这种做法既是对他人的敬重，也是保护自己的良策。

3. 名不正而谤兴，正名者必自屈焉。惑不解而恨重，释惑者固自罪焉。私念不生，仇怨无结焉。

【译文】

名义不正就会惹来非议，但让名义归正就一定会委屈自己。疑惑不能解除，仇恨就会加重，想消除疑惑的人一定会自我谴责。没有自私的念头，自然不会结下仇怨。

【智慧解读】

每个人都知道自私自利是一种不好的行为，可是每个人都很难做到控制私心私欲，甚至还有一句“人不为己，天诛地灭”的谚语为自私自利的人做辩解。

一个太自私或物欲太强的人，多半都会遭受别人的排斥。

自私，这种极端利己的心理，不顾他人和社会的利益，只计较个人得失，不讲公德，甚至会为私欲铤而走险，最后受到法律制裁，自私也是诱发贪婪、嫉妒、报复等病态心理的根源。

然而同样的时间，不同的地段，自私仍在上演……人的本性总是在肆无忌惮地控制着人的品行。尽管历史也一再证明，自私的人是没有好结局的，可是人们还是在吞噬着自己埋下的自私恶果。

人，是欲望的动物，所以永远得不到满足，永远在为自己攫取，最后沦为私欲的奴隶，把自己的心灵变成了地狱。而当一个人的人生走向终点时，他才会发现，人，是不会从他拥有的东西中得到乐趣的，而这些东西却总是以一种魔力引诱着人去追逐，失去理智也在所不惜。于是世界上成千上万的人悲哀而无奈地带着这些东西走向了坟墓。

欲火上升，私念交织，人们的心智也失去了分寸。一个人的名声不正派，自然会招来非议；如果心中有了猜疑，却得不到解释，一定会引来灾祸。所以，君子会爱惜自己的名声，抵制住私欲的诱惑，自然也不会给自己带来灾难。

唐朝天宝年间，有个书生行至宋州，当时家境贫苦的少年李勉恰好与此书生同住一店。没过多久，那位书生突然身染重病，最后因医治无效而死亡。

书生临终时对李勉说：“我家住洪州，本打算到北方去谋求官职，想不到却要死在这里。”然后，拿出身边的百两黄金送给李勉，并告诉他说：“我有位仆人，不要让他知道我拥有黄金这件事。我死后，请你用这笔钱为我办丧事，剩下的钱就都赠送给你吧！”

李勉答应了书生的临终遗言，丧事办完之后，李勉并没有把剩余的钱据为己有，而是放入棺中一起埋葬。

几年后，李勉到开封做官。这时，那位死去书生的兄弟拿着洪州官府的公文，沿着其兄当年的行踪找到宋州，听说李勉曾为其兄主持丧事，就来到开封，找到李勉，顺便询问了金子的下落。李勉便将自己当初把金子埋在墓中之事告诉了他，并随他来到其兄的墓地，打开坟墓挖出黄金还给了他。

这件事情传出去后，李勉得到了大家的尊敬。正是由于李勉胜私制欲之功，有坚强的意志力摒除贪欲的侵袭，识力并重，修得大智慧。李勉为官清正，两袖清风，唐德宗时，官至宰相，被封为国公。

李勉在诱惑面前保持了清醒的头脑，不为虚妄所动，不丧失自我，从而体现了高尚的人格。虽然书生已将钱赠予李勉，但李勉并没有占为己有，而是放入棺中一起埋藏，可见其面对诱惑时的坚强意志，以及美好的道德品质。是这些品质，让他在以后的生涯中保持清正廉洁，最终被封为国公，受到大家的尊敬。

保持自己的理性，放下世间的一切假象，不为功名利禄所诱惑，一个人才能看清本来的自己。否则我们只能使自己的心灵处在一种烦恼不安的状态之中。就好像种植葡萄的人目的在种而不在收，如果还要希望自己的葡萄比别人大、比别人多，那他产生的这种欲望将会使自己失去心灵上的自由。

一个品德高尚、意志坚定的人，做人要有自己的准则，就不会迷失方向，自己的身心自然，也就安乐愉悦。

4. 宽不足以悦人，严堪补也。敬无助于劝善，诤堪教矣。

【译文】

宽厚并不能讨好所有的人，严厉可以用作它的补充。恭敬对劝人改过没有帮助，诤谏却可以教导他。

【智慧解读】

宽厚一直被认为是一种美德，但是在实际生活中，面对的人千万种，每个人都有自己的性格脾气，这个时候，如果还是一味宽厚，可能并不能解决问题。当宽厚不再是唯一解决方法的时候，严厉就显出它的优势来了。

吴王为了检验孙武的领兵能力，挑选了一百八十名宫女交给他。最初孙武把宫女们编成两队，又挑选吴王最宠爱的两个美妃担任队长，让她俩持着战戟，站在队前。

孙武对美妃和宫女说明了规则，又命令士卒扛来执行军法的大斧，并指着大斧反复说明军队的纪律，违者处斩。战鼓擂鸣，孙武下达了向右转的命令。美妃和宫女不但不听命令，反而嘻嘻哈哈地笑了起来。

孙武说："约束不明，令不熟，这次应由将帅负责。"于是重新反复做了说明。美妃和宫女们又一次哄笑起来。孙武说:“纪律和动作要领，已讲清楚，你们不听从命令，这就是故意违反军纪。队长带头违犯军纪，应按军法处置。”于是，下令要斩左右队长。

吴王在望云台上看见要杀自己宠爱的妃子，大为惊骇，急忙下令停止演练。孙武说:“我既已受命为将，将在军，君命有所不受。”当即把两个队长一同斩首。嫔妃和宫女们立刻吓傻了眼，乖乖地听从孙武的指挥了。

几个时辰以后，孙武见已操练整齐，就请吴王检阅。吴王失去了两个爱妃，心里很不高兴，苦笑着说:“行了，将军回舍休息吧！我不想检阅了。”事情过后，孙武先向吴王谢罪，接着申述斩妃的理由:“令行禁止、赏罚分明，这是兵家常法，为将治军的通则；用众以威，责吏从严，只有三军遵纪守法，听从号令，才能克敌制胜。”

吴王听了孙武的解释，怒气消散，便弃斩妃之恨，拜孙武为将军。

立法容易执法难，如果孙武不能严守军纪，那么嫔妃和宫女们可能永远都不会服从他的指挥。成大事的人必须建立铁的纪律，并且严格地执行。如果不能将规则贯彻在平常的细节中，那么即使是反复地强调，也还是于事无补的。俗话说，杀一儆百。只有对待任何人都一视同仁，才能维护正常秩序。

曾国藩的手下，可以说是能人辈出。但是，这些能人聚在一起，惹出的麻烦事更是难处理。

在围剿太平军的过程中，曾国藩手下的部队是由他自己的湘军、李鸿章的淮军和一部分绿营兵组成的。淮军部队中有一个将领，叫作刘铭传，作战十分英勇，他率领的“吉字军”也屡屡立下了战功。但是由于他的部队配备精良，也常常引发别的将领的嫉妒。

有一次，清军将领陈国瑞就趁着刘铭传离开营地时候，带了百十个绿营兵，冲进了“吉字营”，不仅杀死了二三十淮勇，还抢走了三百多条新式洋枪。陈国瑞还趁机溜进了刘铭传的屋子里，偷偷拿走了他的长枪和古铜盘。

刘铭传回来以后，疯了一样带领五百淮勇，去找陈国瑞报仇。他们打死了四五十绿营兵，夺回被抢去的武器，但是那个古铜盘一直都没能找到。

这件事很快就传到了曾国藩的耳朵里。他听说是自己人打自己人，顿时气不打一处来。刘铭传和陈国瑞都是难得的将才，特别是在太平天国运动还没有平息的关键时刻，如果这个时候处理不好此事，无疑会影响整个战事。

想那陈国瑞，曾经参加太平军与清廷作对来着，后来投降了清军，成了蒙古王爷手下的一员大将。蒙古王爷死后，他跟了曾国藩。曾国藩哪里会不知道，陈国瑞是个烈性子，即使是蒙古王爷，也要敬他三分的。可是，这件事情毕竟是他不对在先，如果不给予严处，那么以后将不能服众。

曾国藩想了想，把陈国瑞叫来，先给了他一个下马威：“你以前是太平军的人，杀害了我大清多少将士，这笔账似乎还没算清楚吧？”陈国瑞什么都不怕，就怕别人提他这段不光彩的过去，所以一句话也没敢说。曾国藩见起了效果，就温和下来说：“我知道你作战勇敢，是一个很难得的人才。”陈国瑞见曾国藩脸色缓和了下来，就放松了许多。曾国藩在闲谈之中，与陈国瑞达成了三条协议，让他以后不许再欺压百姓，不许再在营中发生械斗了。陈国瑞马上就答应了。

可是，对待陈国瑞这样的人，只有宽容是不行的。他跟曾国藩达成的协议，回到营里就马上忘了。曾国藩一见，马上奏请皇上撤了陈国瑞的官职，给了他很严厉的制裁，使得陈国瑞不敢再放肆了。

刘铭传也在这件事情上受到了教训，他原以为曾国藩会拿他开刀，必定会严惩他，可是曾国藩只骂了几句，就没再说什么。他自然感觉到曾国藩对他的宽容，十分感激曾国藩。从此，再也不敢惹事了。

身为领导，曾国藩深深明白，如果不能很好地管理手下，放任他们的行为，那么迟早有一天会闯出大祸的。但是，并不是所有犯错的人都适合严惩，有时候过重的惩罚往往会刺激一个人的自尊心，激发他的反叛心理，反而会起到相反的效果。但是，一味地宽容也是不可取的。

在以人为本的今天，我们更应该意识到，对待不同的人，要采取不同的方式。一个领导者首先要了解自己的下属，摸清他们的脾气秉性，还要知道用什么方式能让他们发挥最大的自我价值。

很多人都觉得，只要拿出态度，对下属严格，就一定能让他们信服自己。其实未必是这样的。有的人性格比较叛逆，如果管得太严了，反而会产生相反的效果；有的人缺乏自觉性，如果不严加管理，就可能因为粗心大意而闯下大祸。所以，管理者要看自己的下属是怎样的人，然后再拿出相应的管理策略。

凡做大事的人，都会善于利用有张有弛的管理办法，就如同放风筝一样，觉得拉得太紧，就要学会放松，如果太松了，就要往回收线。只有张弛有度，才能把握全局，人心归附，成就大事。

在工作中，也是如此。如果领导因为一时的感情而放松了对下属的要求，那么下一次有其他人犯错的时候，再想惩罚他，他就会用上一次领导的徇私做借口来抗议。或者，他会接受惩罚，但是心里也不高兴，觉得领导是故意找自己的麻烦。

对于取得成绩的下属，也应该及时给予奖励。如果对别人的成绩视而不见，那么他会觉得努力做也没有什么好处，还不如就不努力了。这样，团队的工作效率就会下降很多，本应该创造出来的额外效益也不能实现。

心卷九

1. 欲无止也，其心堪制。惑无尽也，其行乃解。

【译文】

欲望是没有止境的，思想可以制伏他。疑惑是没有尽头的，只有行动才能解除它。

【智慧解读】

东南亚一带有一种捕捉猴子的方法非常有趣。当地人将一些美味的水果放在箱子里面，再在箱子上开一个小洞，大小刚好让猴子的手伸进去。猴子经不住箱子中水果的诱惑，抓住水果，手就抽不出来，除非它把手中的水果丢下。但大多数猴子恰恰不愿丢掉到手的东西，以致当猎人到来的时候，无须费什么气力，就可以轻易地捉住它们。

其实，人又能比猴子高明多少呢？现实生活中许多人无法抗拒诸如金钱、权利、地位的诱惑，沉迷其中而不能自拔；经不住金钱诱惑者，信奉金钱至上、金钱万能；说什么“金钱主宰一切”“除了天堂的门，金子可以叩开任何门”，等等。他们视金钱为上帝，不择手段去得到它。他们一边用损坏良心的办法挣钱，一边又用损害健康的方法花钱。钱越多的人，内心的恐惧越沉重，他们怕偷，怕抢，怕被绑票。他们时时小心，处处提防，惶惶不可终日，寝食难安。恐惧的压力造成心理严重失衡，哪里有快乐可言？

有一个人家徒四壁，只有一张床，他和他的妻子每天晚上就在长凳上睡觉。

他向佛祖祈祷："如果我发财了，我绝对不会像现在这样吝啬。"

佛祖看他可怜，就给了他一个装钱的口袋，说："这个袋子里有一个金币，当你把它拿出来以后，里面又会有一个金币，但是当你想花钱的时候，只有把这个钱袋扔掉才能花。"

那个穷人就不断地往外拿金币，整整一晚上都没有合眼，他家到处都是金币。这一辈子就是什么也不做，这些钱也足够他花了。但是他并没有像当初祈祷的那样不再吝啬，反而变得更加一毛不拔。原来一无所有时，他对妻子还能尽心呵护。可是当他富有的时候，却对妻子不闻不问，甚至不允许妻子碰他拿出的金币。他每天的生活内容就是不吃不喝地一直往外拿着金币。

其实，他也想过停止拿钱，可是临到决断的时候却对自己说："我不能把袋子扔了，钱还在源源不断地出来，还是让钱更多一些的时候再把袋子扔掉吧！"

到最后，他的妻子因为生病无人照料，先他而去。他自己也因为长时间的不进食而精疲力竭，虚弱得连把钱从口袋里拿出来的力气都没了，但是他仍不肯把袋子扔了，最终死在了钱袋的旁边，此时屋子里装的都是金币。

佛祖怜悯这个穷人，赐予他想要的财富，他却不能控制住自己内心的贪欲。结果对财富的贪图不仅埋

葬了他自己，还葬送了他的妻子。

当一个人无法自制地去追求富贵时，欲念的火就会烧伤心灵、殃及他人。这不仅会给我们造成心理上的负担，也为自己带来痛苦。相反，经常给追求富贵的欲念降降温，让我们的欲念和理智加以调和，就可以避免这样的悲剧。

俗话说，“人往高处走，水往低处流”。人们追逐功名原本无可厚非，但若为功名所累就得不偿失了。有一些人一旦功名到手就再也舍不得放弃了，甚至还想“百尺竿头更进一步”。可惜多走一步就是从“竿头”摔下，顷刻间摔得粉身碎骨。

大千世界，有人以金银为宝，以位高权重为宝，也有人以无欲无求，问心无愧为宝。但是追求金银名利的路上充满陷阱和荆棘，稍有不慎就会寸步难行、抱憾终身。而追求自然、无所妄念的道路却非常宽广，稍微用心追求，就会觉得道路越走越宽。所以大凡生活中的智者，无论有何等权利、财富，都不会放弃对自然真理的追求。

欲望是没有止境的，但思想可以制伏他，只要我们做到把一切功名利禄视为过眼云烟。同样，疑惑也是没有尽头的，只有践行就能解除它。一个人一旦有了猜疑，总是会千方百计寻找理由来验证自己的猜疑，这在心理学上也得到了证实。所以，当面对一个对你已经有了猜忌的人的时候，在解释不大有用时，就要用实际行动来说明它，只有这样才最具说服力。

郭德成是元末明初人，他性格豁达，十分机敏，且特别喜欢喝酒。在元末动乱的年代里，他和哥哥郭兴一起随朱元璋征战沙场，立下了不少战功。

朱元璋做了明朝开国皇帝后，当初追随他打天下的将领纷纷加官晋爵，待遇优厚，成为朝中达官贵人。而郭德成仅仅做了骁骑舍人这样一个普通的官。

一次，朱元璋召见郭德成，说道："德成啊，你的功劳不小，我给你个大官做吧。"

郭德成连忙推辞说："感谢皇上对我的厚爱，但是我脑袋瓜不灵，整天不问政事，只知道喝酒，一旦做大官，那不是害了国家又害了自己吗？"

朱元璋见他坚辞不受，内心十分赞叹，于是将大量好酒和钱财赏给郭德成，还经常邀请郭德成到御花园喝酒。

一次，郭德成兴冲冲赶到御花园陪朱元璋喝酒。眼见花园内景色优美，桌上美酒芳香四溢，他忍不住酒性大发，连声说道："好酒，好酒！"随即陪朱元璋痛饮起来。

杯来盏去，渐渐地，郭德成脸色发红，但他依然一杯接一杯喝个不停。眼看时间不早，郭德成烂醉如泥，踉踉跄跄地走到朱元璋面前，弯下身子，低头辞谢，结结巴巴地说道："谢谢皇上赏酒！"

朱元璋见他醉态十足，衣冠不整，头发凌乱，笑道："看你头发披散，语无伦次，真是个醉鬼疯汉。"

郭德成摸了摸散乱的头发，脱口而出："皇上，我最恨这乱糟糟的头发，要是剃成光头，那才痛快呢！"

朱元璋一听此话，脸涨得通红，心想，这小子怎么敢这样大胆地侮辱自己。他正想发怒，看见郭德成仍然傻乎乎地说着，便沉默下来，转而一想：也许是郭德成酒后失言，不妨冷静观察，以后再整治他也不迟。想到这里，朱元璋虽然闷闷不乐，但还是高抬贵手，让郭德成回了家。

郭德成酒醉醒来，一想到自己在皇上面前失言，恐惧万分，冷汗直流。原来，朱元璋少时曾在皇觉寺做和尚，最忌讳的就是“光”“僧”等字眼，因此字眼获罪的大有人在。郭德成怎么也想不到，自己这样糊涂，这样大胆，竟然戳了皇上的痛处。

郭德成知道朱元璋不会轻易放过自己，以后难免有杀身之祸。他仔细地想着脱身之法：向皇上解释，不行，更会增加皇上的嫉恨；不解释，自己已经铸成大错。难道真的要为这事赔上身家性命不成？郭德成左右为难，苦苦地为保全自身寻找妙计。

过了几天，郭德成继续喝酒，狂放不羁。后来，他进寺庙剃光了头，真的做了和尚，整日身披袈裟，念着佛经。

朱元璋看见郭德成真做了和尚，心中的疑虑、嫉恨全消，还向自己的妃子赞叹说：“德成真是个奇男子，原先我以为他讨厌头发是假，想不到真是个醉鬼和尚。”说完便哈哈大笑起来。

后来，朱元璋猜忌有功之臣，原来的许多大将纷纷被他找借口杀掉了，而郭德成竟保全了性命。

郭德成的聪明之处在于面对朱元璋的猜疑，他没有极力去解释，也没有尽量掩盖，而是用自己的实际行动来证明它，最终在朱元璋的铁腕之下保住了性命。

2. 不求于人，其尊弗伤。无嗜之病，其身靡失。自弃者人莫救也。

【译文】

不向他人求助，就不会受到尊严伤害。没有特殊爱好的毛病，就不会迷失方向。自我放弃的人，人们无法拯救他。

【智慧解读】

从古而今，嫌贫爱富趋炎附势，人之常情、世之通病，《史记》中就有“一贫一富乃知交态，一贵一贱交情乃见”的感慨，俗谚有“贫居闹市无人问，富在深山有远亲”的叹息。这样的事例太多了。那些在金钱驱动下的人际关系是难有真情流露出来的。人们在无奈中盼望一种真诚，首先要求君子能甘于淡泊，以使社会不全处在一片感情的沙漠中。

晋国大夫文子曾遇到过投奔谁的难题。文子流亡在外，经过一个县城。随从说：“此县有一个啬夫，是你过去的朋友，何不在他的舍下休息片刻，顺便等待后面的车辆呢？”

文子说：“我曾喜欢音乐，此人给我送来鸣琴；我爱好佩玉，此人给我送来玉环。他这样迎合我的爱好，无非是为了得到我对他的好感。我恐怕他也会出卖我以求得别人的好感。”

于是他没有停留，匆匆离去。结果，那个人果然扣留了文子后面的两车人马，把他们献给了国君。

文子的这位朋友平日里喜欢跟随文子的喜好而讨

好文子。小人随时变色，君子才是真朋友。所以，在文子看来，这位朋友并不是值得求助的朋友，也称不上真正的朋友，只是趋炎附势的小人而已。正是文子了解了这样的小人，才没有贸然求助，从而避免了一场灾难。

趋炎附势，同嫌贫爱富、喜新厌旧一样，都是人性的弱点。大千世界，鱼龙混杂，不管你是否愿意面对，都不可避免地要与这样的小人打交道，而这些布设在你身边的小人就像一颗颗定时炸弹，随时都会置你于险境，不管你是否愿意承认，这些小人总是比好人更有能量，因为破坏一件事比做好一件事要容易得多。

当我们风头正劲的时候不骄傲，当我们走到人生的低谷时也不必因此愤世嫉俗、唉声叹气，能够拥有这样豁达的心态，便是提防身边小人最好的办法。一个人，特别是位居高位的人，一旦有了特殊的爱好，就容易被人利用，自身也会迷失。但是如果能守住心性，冷静地看待别人对自己的奉承，自然也就能守住自己的尊严。

从前，鲁国的宰相公仪休非常喜欢鱼，赏鱼、食鱼、钓鱼、爱鱼成癖。

一天，府外有一人要求见宰相。从打扮上看，像是一个渔人，手中拎着一个瓦罐，急步来到公仪休面前，伏身拜见。公仪休抬手命他免礼，看了看，不认识，便问他是谁。

那人赶忙回答："小人子男，家住城外河边，以打鱼为业糊口度日。"

公仪休又问：“那你找我所为何事，莫非有人欺你抢了你的鱼了？”

子男赶紧说：“不不不，大人，小人并不曾受人欺侮，只因小人昨夜出去打鱼，见河水上金光一闪，小人以为定是碰到了金鱼，便撒网下去，却捕到一条黑色的小鱼。这鱼说也奇怪，身体黑如墨染，连鱼鳞也是黑色，几乎难以辨出。而且黑得透亮，仿佛一块黑纱罩住了灯笼，黑得泛光。鱼眼也大得出奇，直出眶外。小人素闻大人喜爱赏鱼，便冒昧前来，将鱼献于大人，还望大人笑纳。”

公仪休听完，心中好奇，公仪休的夫人也觉纳闷。那子男将手中拎的瓦罐打开，果然见里面有一条小黑鱼，在罐中来回游动，碰得罐壁乒乓作响。公仪休看着这鱼，忍不住用手轻轻敲击罐底，那鱼便更加欢快地游跳起来。

公仪休笑起来，口中连连说：“有意思，有意思。的确很有趣。”

公仪休的夫人也觉得别有情趣，那子男见状将瓦罐向前一递，道：“大人既然喜欢，就请大人笑纳吧，小人告辞。”公仪休却急声说：“慢着，这鱼你拿回去，本大人虽说喜欢，但这是你辛苦得来之物，我岂能平白无故收下。你拿回去。”

子男一愣，赶紧跪下道：“莫非是大人怪罪小人，嫌小人言过其实，这鱼不好吗？”

公仪休笑了，让子男起身，说：“哈哈哈，你不必害怕，这鱼也确如你所说奇人亦喜人，我并无怪罪之意，只是这鱼我不能收。”

子男惶惑不解，拎着鱼愣在那里，公仪休的夫人在旁边插了一句话：“既是大人喜欢，倒不如我们买下，大人以为如何？”

公仪休说好，当即命人取出钱来，付给子男，将鱼买下。子男不肯收钱，公仪休故意将脸一绷，子男只得谢恩离去。

之后又有好多人给公仪休送鱼，却都被公仪休婉言拒绝了。

公仪休身边的人很是纳闷，忍不住问：“大人素来喜爱鱼，连做梦都为鱼担心，可为何别人送鱼，大人却一概不收呢？”

公仪休一笑，道：“正因为喜欢鱼，所以更不能接受别人的馈赠，我现在身居宰相之位，拿了人家的东西就要受人牵制，万一因此触犯刑律，必将难逃丢官之厄运，甚至会有性命之忧。我喜欢鱼现在还有钱去买，若因此失去官位，纵是爱鱼如命怕也不会有人送鱼，也更不会有钱去买。所以，虽然我拒绝了，却没有免官丢命之虞，又可以自由购买我喜欢的鱼。这样不比那样更好吗？”

众人不禁暗暗敬佩。

君子取义成仁，历来为人所推崇，至于名分利益，根本不在他们的考虑范围之内。太过执着于名利，尤其是与自己才能不符的名利，往往会弄巧成拙，使自己蒙羞受辱。淡泊自守是一种福分，看不透名利，只能是害人害己，虚费光阴。

3. 苦乐无形，成于心焉。荣辱存异，贤者同焉。事之未济，志之非达，心无怨而忧患弗加矣。

【译文】

苦与乐没有一定的形式，人们的思想决定它的形成。

荣与辱并不相同，但贤明的人对待它们却一样。事情没有成功，志向不能达到，思想上没有抱怨就不会增加人的忧虑和祸患。

【智慧解读】

苦乐没有固定的形态，是苦还是乐全在人的看法之中；天堂还是地狱，同样在人的一念之间。人一旦起了利欲之念，贪婪的心马上就会变得火一般炽烈，这时你的人生幸福也就堕入痛苦地狱中。心能清净，即使已经出现炽烈般的欲火，也能把它化为清凉水池。

以现代人的观点来看，人幸福与否的决定条件有物质基础，有生活环境，有人生际遇等等，但人的幸福和精神愉悦、理想和追求的联系更紧密。在人的思想品德上多些理想少些贪欲，多些大气少些私心，格调自然会高，遇事自律性强，苦中犹含有乐。

“一念清净，烈焰成池；一念警觉，航登彼岸。”我们的心，每天都是上天堂、下地狱，来来回回周游。顺心如意，欢喜得意，便是天堂；恶念纷飞，受挫忧悒，即地狱。不管外在的花花世界是虚虚假假、还是争权夺名，只要我们内心的世界无风无浪、无花亦无香，自然会有韩愈所说“与其有乐于身，孰若无忧于心”的知足与自在。

日本明治时代有一位著名的南隐禅师，他境界很高，常常能用一两句话给人以深刻的点拨，很多人慕名而至，前来问佛参禅。

有一天，一位官员前来拜访，请南隐禅师为他讲解何谓天堂、何谓地狱，并希望禅师能够带他到天堂和地狱去看一看。

南隐禅师面露鄙夷之色，细细打量了他一番，然后问道：“你是何人？”

官员说：“在下是一员武将。”

南隐禅师哈哈大笑，并用很刻薄的语言嘲笑道：“就你这副模样，居然也敢称自己是一名将军！真是笑死人了！”

官员大怒，立刻让身边的差役棒打南隐禅师。南隐禅师跑到佛像之后，露出头来对着官员喊：“你不是让我带你参观地狱吗？看，这就是地狱！”

官员顿时明白了南隐禅师所指，心生愧疚，并被南隐禅师的智慧所折服，于是走到禅师面前，恭恭敬敬地低头道歉。

南隐禅师笑着说：“看啊，这不就是天堂了吗？”

在听到南隐禅师的辱骂之后，这名官员尚未思考禅师的用意便勃然大怒，一念之间，便坠入了地狱；反之，当他以坦然平和的心境对待所发生的事情时，天堂也就在眼前了。

这正是一念天堂，一念地狱。

生活在凡尘俗世中的人，注定逃不脱世俗的羁绊，与其为外境所困，不如用一颗宁静淡泊的心去平和对待。所谓天堂和地狱其实并没有什么分别，重要的是我们选择怎样的心态来面对自己的生活。

“拿着笤帚不扫地，生怕扫起心上尘”，这句富于禅机的偈语，是说人心本来清净，可用扫帚一扫，虽说目的是在扫除尘埃，反倒会把心中的尘土给扫起来。佛家的“观人”，庄子的“齐物”，原来都是为了说明心空物一之理。假如一个人本性善良，就应从各个方面来锻炼自己，保持品性，加强修养。就像一个初涉世的人，有许多纯真的品德，关键是如何保持下去，而不是丢掉本质上好的东西而拣来世俗的恶习。

若当心清明时，气质习惯皆居于服从的地位。而一旦有气质、习惯、环境主导，那就会不以是非为是非了，时间长了无人提醒更容易以黑为白，他人视为不耻的事他也能够做得心安理得，譬如当年隋炀帝修建京杭大运河时，初衷与结果相悖，正因其本心被欲念左右而无法自拔。

关于隋炀帝开凿京杭大运河的由来后人有着不同的猜测。有人认为因为当时南方经济发达，修凿运河可以把江南的财物更为便利地送往京师；有人说是为了切断南京这六朝之都的王气。不管是哪一种，毫无疑问，当初做出这个决定时，隋炀帝是从国家政局的战略高度出发的，目的是加强对南方的控制。一条大河接北通南，确实对国家大局产生了重大影响，但显然与隋炀帝原来的意图相悖。

唐朝末年皮日休有诗云："尽道隋亡为此河，至今千里赖通波。若无水殿龙舟事，共禹论功不较多。"原先的家国天下后来却变成了水殿龙舟事，这才是隋亡之由。

从洛阳到江都两千多里，杨柳成行，树木成荫。在运河两岸设置许多驿站，每两驿站建一座离宫，总计有四十多座，专供隋炀帝休息。隋炀帝还下令在扬州建置了江都宫。大业元年（605）八月，正是金色的收获季节，江南水乡的美丽景色吸引着隋炀帝。他不等运河全部完工，就从洛阳出发，坐龙舟前往江都。他前后几次下江南无不极尽排场。

炀帝的龙舟高四十五尺，宽五十尺，长二百尺。整个龙舟分四重，上重有正殿、内殿和东西朝堂，中间二重共计一百六十房，都是以金玉雕刻花纹，下重有宦官和内侍居住。龙舟有殿脚（即挽船人）一千零八十人用青丝大绦绳牵引前进。殿脚都穿着锦彩衣袍。皇后坐的船叫翔螭（音：痴）舟，比龙舟稍小而装饰一样，用殿脚九百人引进。

嫔妃乘坐的是浮景舟，共有九艘，每艘用殿脚二百人。贵人、美人和十六院妃子所乘的船叫漾彩舟，共有三十六艘，每艘殿脚一百人。

此外，还有各式各样的华丽大船上千艘，上面坐着官人，诸王公主，僧尼道士，各国使者，宫廷卫士，总计用殿脚八百多人。这支浩浩荡荡的船队，在运河中航行的时候首尾相接，前后长达二百多里。两岸又有二十万骑兵护送，马蹄杂沓，旌旗蔽空。

这般行径，谁还能想到这是曾经誓言励精图治的杨广呢？若说他的初衷是出于江山社稷的仁者之举，后来的他便是堕入了浑浊之中，由着个人的欲念随心所欲，只图一时享受，不以是非为是非了。人做坏事而不觉不安者，盖已陷入硬固的方向矣。隋炀帝正是如此，如马车陷入泥地，而他并没有想着要出来。没有自省的动力，也没有他人的棒喝，只能越陷越深。

可见人的本心都是清明的，那些身处污秽而不自知的人只是心也被污秽沾满了而已，我们所能做的或许就是勤拂拭，莫使惹尘埃吧。

4. 仁者好礼，不欺其心也。智者示愚，不显其心哉。

【译文】

仁德的人爱好礼仪，是不愿欺骗自己的思想。智慧的人表现愚钝，是不想暴露自己的思想。

【智慧解读】

人性有恶善，待人也应以慈悲为怀，不能以算计人为出发点。正因为慈悲心肠的人多了，人世间便自有一片温情。遇欺诈之人，以诚心感动之；遇暴戾之人，以和气熏蒸之；遇倾邪私曲之人，以名义气节砥砺之：天下无不入我陶冶中矣。

世间万物都是拥有生命的，大自然原本就是一个和谐的整体，一草一木皆为生命。长存一颗慈悲心，不仅仅是一种博大的情怀，更是对人生和自然的一种理解和顿悟。我们从来都是与周围的事物和自然融于一体的，关怀它们实际上也是在关怀我们自身。

人一念之间的慈悲，可以创造两人之间的和气；人若能够保持心地纯洁清白，就可以百代清芬。佛家讲慈悲为怀，儒家讲仁者爱人。两者都在强调心存善良、关心他人。古语云："一心洁白，流芳千古。"人要维护自己的声誉，便要始终以"致平和"为准绳，保持心灵的完美，坚持与人为善。无论是修身治家，都能以"和"治"平"。

西汉时期，汉中有个叫程文矩的，他的妻子不幸去世，留下四个儿子，之后又娶李穆姜为妻，也生了两个男孩。程文矩死后，繁重的家务和教育孩子的责任都落在了李穆姜身上。作为后母的李穆姜对程文矩前妻所生的孩子无比慈爱，甚至比对自己的亲生儿子还要好。但是，这四个孩子一点都不尊敬她，还处处为难她，认为李穆姜是假仁假义。

久而久之，有邻居劝李穆姜不要再管他们了。李穆姜却说："我要用礼仪劝导他们，不让他们走向邪路。"有一次，程文矩前妻的大儿子程兴重病卧床，李穆姜十分难过，她不仅到处访求名医，还亲自熬药，将程兴照顾得无微不至。在李穆姜的精心照料下，程兴的病慢慢得以痊愈。而李穆姜的行为也深深感动了程兴。他不仅向李穆姜道歉，还对三个弟弟说："继母仁慈，我们兄弟却置她的养育之恩于不顾，真是连禽兽都不如。虽然母亲并不怪我们，而是对我们越来越好，但我们的罪过是不可宽恕的。"四兄弟感到非常悔恨，便跑到掌管刑罚的官员面前请求治罪。事情传到了汉中太守那里，太守不仅表彰了李穆姜，还让四子改过自新。在李穆姜的严格教育下，四子也都各有建树。

无论程文矩前妻的孩子怎样为难李穆姜，她都是无比慈爱，这份仁义，这颗心最终打动了孩子们，为全家赢得了和睦。

俗话说，"投之以桃，报之以李"。有时候，只是给予了别人一颗善心，却能够得到对方感恩的反馈，从而听到两颗心灵跳动的声音。人与人之间彼此包容、彼此谅解、彼此关爱的心将久久地温暖着每一颗尘封已久的心。当心与心共鸣而发出的旋律奏响时，心灵浸润其中，也会习得一种温情的通透，而原本覆盖着的灰尘也随之被荡涤得没有影踪。

慈悲能换来温情，所以很多智慧之人，都有一颗慈悲心。因为慈悲，所以不会锋芒毕露；因为慈悲，给人的感觉总是温濡而低调的。有时候，隐藏自己的聪明，低调做人，能为自己赢得生存的机遇。

曾国藩从一个没钱没背景的湖南“乡巴佬”，官位一路飙升，升到国家大员，还有继续升迁架势。这一点，曾家人自是乐得合不上嘴的，祖坟生辉啊！曾国藩的很多好友、下属们也是开心的，毕竟他们也跟着沾了“得道”的光。但可惜，这天下绝大多数的官员都是不开心的：你曾国藩何德何能啊？

曾国藩当然有德有能，他能救国家于危难之时，他能延缓一个朝代的灭亡时间，他在保护那些嫉妒自己的官僚们能再过上一段富足丰盈的日子。不过，曾国藩终是没有争辩。因为，在他心中，装着两个沉甸甸的“前车之鉴”。

第一个让曾国藩触动的，是宋神宗年间嘉王赵頵的经历。开始，赵頵认为自己是皇帝的亲弟弟，有责任也有义务忧国忧民，他也常常会为此公开发表激烈言论。时间久了，赵頵发现，不只世人对他的褒贬不一，连他的亲哥哥皇帝对他的态度也很复杂。困惑之时，赵頵得到了心腹这样的提醒：“像您这样身份的人，若是不好声色，专心典籍，应该很受尊敬和欢迎。若您总是参政议政，皇帝方面恐怕会不安啊！”此后，赵頵还真的闭起嘴巴，一心研究起书籍药方来。没想到，他这一变，皇帝还乐得给他颁起奖来了。

说起最能触动曾国藩的，还要数明初的沈万三事件。当年，明太祖朱元璋打下江山，但他一驻都金陵，就为没钱扩建外城而苦恼起来。这时，一番好意的金陵巨富沈万三提出，自己愿意摊一半的工程费用。不只如此，由沈万三负责督导的一半工程，竟然比朱元璋的官方工程还早完工了三天。得意扬扬的沈万三怎么也没想到，开国皇帝朱元璋前头还摆酒设宴，说自己是“布衣天子”，转身就对自己动了杀机。再加上，后来沈万三为了保护自己的良田不受水淹，特意建了一道石堤。他的这种“炫富”表现更是让朱元璋恨之入骨。果然，朱元璋后来还是找了个理由，要了沈万三的命不说，更将沈万三所有的财产全部“充公”。

两个古人，两场由嫉妒、猜忌引发的不同命运，不得不让曾国藩深思。特别是在曾国藩升至两江总督后，他自己也处在一个万人嫉妒、皇帝眼红的地位上。作为高官，更作为几十万人马的最高统帅，曾国藩不但没骄没傲，反倒比以前更加收敛、谨慎。他不时地写信对弟弟们说：我们家这么丰盈的时候，即使别人不管，上天也会管，所以我们兄弟家人一样要严格自律。曾国藩这不仅是在告诫弟弟们，也是在给自己敲响警钟。

而后，曾国藩又受重用，朝廷新政集团甚至将半壁江山的指挥权都交与了曾国藩，但他本人仍以一颗“战战兢兢”之心，多次上书拒绝。他为的，不只是避免其他官员的眼红，更是避免最高统治者的猜忌。至其终老，曾国藩都持着这种“花未全开月未圆”的态势做官，做人。

升官、取得成绩，世人所欲；被嫉妒，世人所不欲。但往往“被嫉妒”就是与升官等好事如影随形。为了不被别人的“红眼病”杀伤，曾国藩果断选择了低调。

曾国藩以嘉王赵頵低调避嫌为榜样，也以沈万三

高调丧命为警戒：身处错综复杂的官场，人可以在成就上高人一筹，也可以在财富、学识、眼光上高超，但却没必要事事要求比别人高，更何况就是真高了，也没必要显摆。别说显摆会让人憎恶，就算是不显摆，也会有人对你的官位与成绩“心生不平衡”。因此，居高官者、享盛名者，有某一面特长者，看似是处于风光处，实则是处于危险处。他们很容易被他人的“酸葡萄心理”和“有色眼镜”灼伤。

既然很多他人因素注定难以阻止，那也只好先行出手，先行低调之态。小心谨慎，把自己低到尘埃里。在尘埃之中，为自己织一张可以防御外界眼红的保护网，这才是智者的行为。

修身卷十

1.服人者德也。德之不修，其才必曲，其人非善矣。

【译文】

让人信服的是一个人的品行。不培养品行，人的才能就会用于偏邪，他便不能善终。

【智慧解读】

凡是拉大旗做虎皮的人，往往是为了欺瞒、蒙骗、吓唬善良的人。君子守身的法则，往往成为小人图利的工具。真正的君子，无论是封建帝王，还是平民百姓，强调的是德行，而不是私利。

有一位老锁匠一生修锁无数，技艺高超，平易近人，深受人们敬重。渐渐地，老锁匠年纪大了，为了不让自己的技艺失传，他决定为自己物色一个接班人。最后老锁匠挑中了两个年轻人，准备将一身技艺传给他们。一段时间以后，两个年轻人都学会了不少东西。但两个人中只有一个能得到真传，为了找到最合适的接班人，老锁匠决定对他们进行一次考验。

老锁匠准备了两个柜子，分别放在两个房间里，让两个徒弟打开，谁花的时间短谁就是胜者。结果大徒弟只用了不到十分钟就打开了柜子，而二徒弟却用了半个小时，众人都以为大徒弟必胜无疑。

老锁匠问大徒弟:“柜子里有什么?”大徒弟眼中放出了亮光:“师傅,里面有很多钱,全是百元大钞。”再问二徒弟同样的问题,二徒弟支吾了半天说:“师傅,我没看见里面有什么,您只让我打开锁,我就打开了锁。”

老锁匠十分高兴,郑重宣布二徒弟为他的正式接班人。大徒弟不服,众人亦不解,老锁匠微微一笑说:“不管干什么都要讲一个‘信’字,尤其是我们这一行,要有更高的道德操守。我收徒弟是要把他培养成一个高超的锁匠,他必须做到心中只有锁而无其他,对钱财视而不见。否则,心有私念,稍有贪心,登门入室或打开柜子取钱易如反掌,最终只能害人害己。我们修锁的人,每个人心上都要有一把不能打开的锁。”

老锁匠的话着实耐人寻味,他把道德作为权衡徒弟的最终标准,所以二徒弟虽比大徒弟资质差,但最终因为品德高尚而被师傅选为接班人。

同样一个东西,落到不同人的手中,会有不同的用处。如锋利的宝剑,当他在名将手中时,是一件为民保国的利器;而当他落入坏人手中时,或许会变成一件杀人的凶器。

仁义道德是一种境界,是一种追求,也是一种力量,它能使人无往而不胜。人生的成就往往是与德行的修养成正比的,要想取得事业上更大的成功,就必须注意自己的德行修养。切不能打着仁义道德的幌子,为自己谋取私利,这不是德行的修养,只是将道德作为一种工具,是真正小人的行为。

善待社会、善待他人，并不是一件复杂、困难的事，只要心中常怀善念，生活中的小小善行，不过是举手之劳，却能给予别人很大帮助，何乐而不为呢？

做好事也好，做坏事也好，世事纷繁，不管出于有意还是无意，做了好事也顺其自然，不必宣扬，而做了坏事也不必过于自责，只要认真改过就行。善根暗长，恶损潜消，适用于每一个人。

疑神疑鬼，不信任别人的人是成不了气候的。尤其是一个有创造大业雄心的人，在待人接物上必须出自真诚，注意疑人莫用，用人莫疑，只有这样才能使大家精诚合作，取得成功。诚信是传统的做人原则之一，真诚待人终究会感动别人。但是真诚待人不是见什么都把自己和盘托出，而是要有一定的“度”，正所谓“害人之心不可有，防人之心不可无”。如果人人这样，社会责任法律义务谁来承担？故“诚”也是相对而不是绝对的。

纵观历史，大凡品德好的人一定是讲求诚信的人，而诚信的人通过自己的努力更容易实现自己的理想，成就自己的事业。

皇甫绩是隋朝一位很有名的大臣。他三岁的时候父亲就去世了，母亲一个人难以维持生计，就把他带到外婆家居住。外公见皇甫绩聪明伶俐，又没了父亲，因此格外疼爱他。

皇甫绩的外公叫韦孝宽，韦家在当地是有名的大户人家，家境殷实。由于家里上学的孩子多，外公就请了个教书先生在自家给孩子们授课。这样一来，皇甫绩和表兄弟们都可以在家里的学堂上学。

外公虽然心地善良，但却是个很严厉的老人，尤其是对他的孙辈们，更是严加管教。私塾开学的时候，外公就立下规矩，谁要是无故不完成作业，就按照家法重打二十大板。

有一天，上午上完课后，皇甫绩和他的几个表兄躲在一个已经废弃的小屋子里下棋。一贪玩，不知不觉就到了下午上课的时间。大家都忘记做老师上午留的作业。

第二天，这件事被外公知道了，他把几个孙子叫到书房里，狠狠地训斥了一顿，然后按照规矩，每人重打二十大板。

外公看皇甫绩年龄最小，平时又很乖巧，再加上幼年丧父，就不忍心打他。于是，外公就把他叫到一边，慈祥地对他说:“你还小，这次我就不罚你了。但是以后不能再犯这样的错误。不做功课，不学好本领，将来怎么能成大事？”

皇甫绩平时和表兄们相处得很好，小哥哥们都很爱护他。看到小皇甫绩没有被罚，大家心里都很高兴。可是，皇甫绩心里很难过，他想：我和哥哥们犯了一样的错误，耽误了功课。外公没有责罚我，这是心疼我。可是我不能放纵自己，应该按照先前所定的规矩，重打二十大板。

于是，皇甫绩就找到表兄们，求他们代外公责打自己二十大板。表兄们一听，都扑哧一声笑了出来。皇甫绩一本正经地说:“这是私塾里的规矩，我们都向外公保证过触犯规矩甘愿受罚，不然的话就不遵守诺言。你们都按规矩受罚了，我也不能例外。”

表兄们都被皇甫绩这种信守学堂规矩、诚心改过的精神感动了。于是，就拿出戒尺打了皇甫绩二十下。

后来皇甫绩在朝廷里做了大官，但是这种从小养成的信守诺言、勇于承认错误的品德一直没有丢，这使得他在文武百官中享有很高的声望。

皇甫绩因信守诺言而赢得他人的好感，从而美名在外，可见诚信的力量之大。

一诺千金，自己许下的诺言一定要兑现。正所谓“大车无輗，小车无軏”，輗和軏都是车子的关键部位，如果大车没有横杆，小车没有挂钩，那车子是走不动的。对于人来说也是一样，不管做人、处世、为政，“信”都是关键所在。一个人失去了信用，就失去了做人的基础，长此以往，别人对失信者只会敬而远之。

《菜根谭》讲道：“信人者，人未必尽诚，己则独诚矣；疑人者，人未必皆诈，己则先诈矣。”说的是，能够相信别人的人，也许那个人并不十分值得信赖，但至少自己是诚实可信的；对别人充满怀疑的人，那个人也许并不十分狡诈，但自己已经是狡诈之人了。人因诚信而立，做人须诚信对人，诚信对己。

诚信是一轮万众瞩目的圆月，唯有与莽莽苍穹对视，才能沉淀出对待生命的真正态度；诚信是高山之巅的纯净水源，能够洗尽铅华，洗尽躁动，洗尽虚伪，留下启悟心灵的妙谛。

2. 纳言无失，不辍亡废。小处容疵，大节堪毁。敬人敬心，德之厚也。

【译文】

采纳他人的建议就不会有缺失，不中途停止就不会前功尽弃。小的地方存有缺点，大的节操就会毁灭。尊敬他人就是要尊重他人的思想，这是品德的关键。

【智慧解读】

品德修养是靠一点一滴积累起来的，生活中常见一些人在行事上喜以老粗自居，言行大事者不拘细节，以掩饰自己的粗鲁无知，或者自己做的事往往都是粗俗不堪或见利忘义之举，却以粗豪作为掩饰。一个修养好的人，就是在细微的小事情上也同样谨言慎行，不因其小就有违道义，凡是和自己的理想追求不一致的，再小的事也不做。以助人而言，从思想上就不能存有让对方感恩图报的小人之念，否则就是一种毫无诚意的伪善。多做些雪中送炭的事，少来些锦上添花的浮夸。

在一个小镇上，有一个出名的地痞，整日游手好闲、酗酒闹事，人们见到他唯恐避而不及。一天，他醉酒后失手打伤了前来上门讨债的债主，被捕入狱。入狱后的地痞幡然悔悟，对以往的言行感到十分懊悔。

从牢狱中出来回到小镇后，他决定重新做人。但是遭到了镇上人的拒绝与鄙夷。找不到工作的他食不果腹，只好来到亲朋好友家借钱，同样遭到一双双冷漠置疑的眼光，那心中刚刚点燃的希望之光也逐渐开始黯淡。这时，他一位少年时代的朋友听说他的事后，就拿一些银两送给他，并微笑着说：“我没有太多钱，这是我所能帮助你的，你也不要泄气，要好好做人。”他接过银两，平静地道谢，第二天便消失在镇口的小路上。

数年后，他成了一个腰缠万贯的富人。回到家乡后，他不仅还清了亲朋好友的旧账，还领回来一个漂亮的妻子。他来到了那位曾经帮助过他的朋友家，恭恭敬敬地送上一些珍贵的礼物，然后，流着泪说道："谢谢你！当初如果不是你的那份信任，还有你那鼓励的笑容，我想我早就失去了重新站起来的勇气。"

这个人由于朋友举手之劳的帮助就改变了其一生的命运。因此，千万不要低估了一句话、一个微笑的作用，它很可能成为开启幸福之门的一把钥匙，成为走上柳暗花明之境的一盏明灯。因为它在不知不觉间，就已经将善意的种子种在了他人的心田。

所以，我们要学会尊重他人。尊重他人，最重要的是尊重他人的思想，也就是"己所不欲，勿施于人"，自己不想要的东西，一定不要强加给他人。老百姓说"打人莫打脸，骂人不揭短"，因为谁都会有不完美的地方。你如果刻薄地揪住他人的短处不放，那结果肯定是不欢而散。此时要懂得用发自内心的诚意，以切实的言行引导和感化他人。

春秋末期，齐国和楚国都是大国。有一次，齐王派大夫晏子去访问楚国。楚王仗着自己国势强盛，想借机侮辱晏子，显显楚国的威风。

楚王知道晏子身材矮小，就叫人在城门旁边开了一个五尺来高的洞。晏子来到楚国，楚王叫人把城门关了，让晏子从这个洞进去。晏子看了看，对接待的人说："这是个狗洞，不是城门。只有访问'狗国'，才从狗洞进去。我在这儿等一会儿，你们先去问个明白，楚国到底是个什么样的国家？"接待的人立刻把晏子的话传给了楚王，楚王只好吩咐打开城门，迎接晏子。

晏子见了楚王，楚王瞅了他一眼，冷笑一声，说：“难道齐国没有人了吗？”晏子严肃地回答：“这是什么话？我国首都临淄住满了人。大伙儿把袖子举起来，就是一片云；大伙儿甩一把汗，就是一阵雨；街上的行人肩膀擦着肩膀，脚尖碰着脚跟。大王怎么能说齐国没有人呢？”楚王说：“既然有那么多人，为什么打发你来呢？”晏子装着很为难的样子，说：“您这一问，我实在不好回答。撒谎吧，怕犯了欺骗大王的罪；说实话吧，又怕大王生气。”楚王说：“实话实说，我不生气。”晏子拱了拱手，说：“敝国有个规矩：访问上等的国家，就派上等人去；访问下等的国家，就派下等人去。我最不中用，所以派到这儿来了。”说着他故意笑了笑，楚王只好赔着笑。

接着，楚王安排酒席招待晏子。正当他们吃得高兴的时候，有两个武士押着一个囚犯，从堂下走过。楚王看见了，问他们：“那个囚犯犯的什么罪？他是哪里人？”武士回答说：“犯了盗窃罪，是齐国人。”楚王笑嘻嘻地对晏子说：“齐国人怎么这样没出息，干这种事儿？”楚国的大臣们听了，都得意扬扬地笑起来，以为这一下可让晏子丢尽脸了。哪知晏子面不改色，站起来，说：“大王怎么不知道啊？淮南的柑橘，又大又甜。可是橘树一种到淮北，就只能结又小又苦的枳，还不是因为水土不同吗？同样道理，齐国人在齐国安居乐业，好好地劳动，一到楚国，就做起盗贼来了，也许是两国的水土不同吧。”楚王听了，只好赔不是，说：“我原来想取笑大夫，没想到反让大夫取笑了。”

从这以后，楚王再也不敢不尊重晏子了。

楚王有失礼节，晏子知礼且据理力争，几个回合下来，楚王输给了晏子，并且输得心服口服。假如当初晏子不顾礼节，面对楚王的挑衅勃然大怒，那只会惹来楚国君臣的耻笑而已。

不尊重他人，有时是故意的，那是互相敌视的双方用来作为攻击对方的武器；不尊重他人，有时又是无意的，那是一不小心犯了对方的忌讳。有心也好，无意也罢，在待人处世中不尊重他人都会伤害到对方的自尊，轻则影响双方的感情，重则反目成仇。

人应该有宽广的胸怀，用对待自己来作为参照物对待他人。既不会破坏与他人的关系，也不会将事情弄得僵持而不可收拾。这是尊重他人、平等待人的体现。

3. 诚非虚致，君子不行诡道。祸由己生，小人难于胜己。谤言无惧，强者不纵，堪验其德焉。

【译文】

依靠虚假不能换来真诚，所以君子不使用诡诈之术。祸患由自身产生，小人很难战胜自己。不惧怕诽谤的话，不放纵势力大的人，用这个就能验证一个人的品德了。

【智慧解读】

人们在生活中总会遇到各种各样的人，也会受到不恰当的评价，甚至是污蔑。此时，人们应该保持冷静，坚信谗言毁人只是一时的，谣言终究是谣言，不久便会不攻自破。如果人们因此而大动肝火，反而有可能弄巧成拙，助长不轨之人的嚣张气焰。与其愤世嫉俗地诅咒黑暗，不如给自己的心灵点亮一支蜡烛。

俗话说：流言止于智者，真正有智慧的人是不会被流言中伤的。因为他们懂得用沉默来对待那些毫无意义的流言诽谤，从这个层面上来看，他们的沉默就是一种胸襟，这种胸襟就是养德远害的方法所在。紫罗兰可能得到别人的赞赏，也有可能被人遗弃街头，任人踩踏。当用脚将它的身体碾碎，而它却把香味留在脚上，这就是宽容。

明武宗时，宁王朱宸濠叛乱，宦官张忠和朱泰想坐收渔翁之利，便鼓动武宗御驾亲征。正当他们打着如意算盘时，前线平叛的王守仁传来生擒朱宸濠的捷报。张忠和朱泰的阴谋未果，自然会对王守仁记恨在心、谋求报复。他们大肆散播流言，诽谤王守仁本来就与宁王有私通，又怂恿随驾军士肆意辱骂王守仁，甚至故意冲撞王守仁的出行仪仗，有意挑起事端。

王守仁却丝毫不为所动，一边以礼相待，一边预先派遣手下官吏通告市民，让他们暂时先移居乡下，家中要留下能看守门户的人就可以了，以免殃及百姓、增加纠葛。捷战后，王守仁本已准备犒赏随驾亲征军队，但朱泰等人却威胁将士、强行命令军中将士不得接受赏赐。王守仁得知此事后，知道是朱泰和张忠等人有意离间他和将士们的关系、挑起军民矛盾，便传谕百姓说，很多人背井离乡来此征战，忠心可嘉，但却十分辛苦，为了表达我们的感谢，本地居民当尽地主之谊，好生厚待他们。自此但凡军队中有人死亡时，王守仁一定亲自前去慰问，并赏给很多助葬之资，尽量抚慰人心。

按照当地的风俗习惯，冬至时节是人们祭奠亡灵的日子，每家都会到坟上亲手为死去的亲人焚送“寒衣”。那一年冬至将至时，王守仁便让城中军民举行祭奠仪式。因为平定朱宸濠之乱的战事刚刚结束，而且战乱中死去亲人的人为数甚多，所以这一年百姓哭吊亲人、酹酒遥奠的人特别多，成片的哭泣之声几乎要将这座城池哭动了。这时王守仁身在哭泣的人群中，和大家一起把伤心痛心的泪水洒在斑驳的土地上。随驾大军触景生情，潸然泪下。

随着王守仁的仁厚正气被越来越多的人看在眼里，军士们、百姓们不再被谗言和威胁左右，打心底里敬佩王守仁。

王守仁心体光明，毫无暗昧之念，面对没有事实根据的谗言谶语忍辱负重、以诚感人，最终张忠等人的谎言不攻自破。这实在是“心体光明，暗室中有青天”真实的演绎。古人云，“君子坦荡荡，小人长戚戚”，既然如此，那我们不妨学一学王守仁的为人处世之道。

所谓浊者自浊、清者自清。为人处世，“不责人小过，不发人阴私，不念人旧恶”，不仅会让对手和敌人化为己用，而且当我们付出这种美德时，我们就向更加成熟、有所进步的自己靠近了一步。

在我们生活的世界，从来没有永远平静的大海，也从来没有一马平川的人生，只要我们活着，再好脾气的人也或多或少地会有和别人发生口角和争执的时候，这个时候如果针尖对麦芒地应对，只会让整个人生陷入悲伤的循环中。只有宽容、接纳一些不如意，继续往前走，才能摆脱这种循环。恢宏大度，胸无芥蒂，才能海纳百川，既养德又远害。

在现实生活中，一个参透世间学问、心无秽物的人，永远不会被别人的谎言束缚继续公正为善的手脚，更不会感到迷茫而失去心的自由。当我们做好自己，保持光明磊落的心境，这些都会水到渠成地进入我们的生活。

孔子说："君子食无求饱，居无求安，敏于事而慎于言，就有道而正焉，可谓好学也已。""士志于道，而耻恶衣恶食，未足与议也。"一个有志于学业，有为于未来的人，在享乐上过于贪图，在名位上太过看重是难以有所成就的。人的品性修养要在各个方面体现出来，不论是读书求知，还是居官从政，或是日常生活，只为追求私欲的满足，达到私心的要求，必然有损于集体，有损于公德，其最终结果是败坏自己的形象。而热衷于饮宴声乐之辈，必然轻浮；一门心思在名利场钻营，定然不会是为民造福、坚持正确原则的人。

明朝名臣于谦在没有调入京城前，一直担任地方官。他为官清廉，对下属的各级官员要求都十分严格，坚决禁止他们收受贿赂、贪赃枉法，他自己更是以身作则。

正统年间，宦官王振专权，他作威作福，以权谋私，肆无忌惮地招权纳贿。每逢朝会，各地官僚为了讨好他，多献以珠宝白银。而于谦每次进京奏事，总是不带任何礼品。

他的同僚劝他说："你虽然不献金宝、攀求权贵，也应该带一些著名的土特产如线香、蘑菇、手帕等物，送点人情呀！否则，人家会对你有看法，还会找你的麻烦的。"

于谦潇洒一笑，甩了甩他的两只袖子，风趣地说：“只有清风！我当官是为国为民，不是为了某一个人。只要认真做事，又何须担心他人。”

为此他曾作过一首《入京诗》以明志：“绢帕蘑菇与线香，本资民用反为殃。清风两袖朝天去，免得闾阎话短长。”

于谦在诗中说，绢帕、蘑菇、线香这类东西本是供人民享用的，只因官吏征调搜刮，反而成了百姓的祸殃。他在诗中表明了自己的态度：我进京什么也不带，只有两袖清风朝见天子。

于谦的“两袖清风朝天去，免得闾阎话短长”是一种潇洒，同时也是一种不向名利低头的气节。与那些攀结富贵的人比较来看，于谦在如染缸般的官场里，不为声华名利、做到洁身自好就已经难能可贵了。

《菜根谭》说：“饮宴之乐多，不是个好人家；声华之习胜，不是个好士子；名位之念重，不是个好臣士。”真正的君子权贵不能使他意志动摇，浮华不能使他淫乱，宴饮娱乐更不能让他沉溺，即便是死和生这样的人生大事，也丝毫不能动摇他们坚守道义的心和操守。

在孔子看来，这样的人，精神穿越大山无阻碍，潜入深渊也不会被水沾湿，处于卑微地位也不会感到狼狈不堪。声华名利不过是过烟云眼，过于执着，只能让人迷失自我，最终为其所役。淡泊自守，潇洒从容地对待，反而会有意外的惊喜与收获。

在现代，为官也好，普通百姓也罢，即便不为青史留名，也要让自己问心无愧。当法制还没有达到完美的境地时，我们只能以崇尚美的心态去严格要求自己，做到“慎独”，将淡泊和自持看作是一种境界、一种修养、一种对自我的约束。正如司马光在《资治通鉴》中所提到的那样，“由俭入奢易，由奢入俭难”。当我们的一只脚亲近了宴饮、浮华、名利中的任何一个，我们就有可能踏入“浑流”之中，如果不及早抽身，就有可能走入绝境。所以，我们应时刻保持警惕，让自己如刚出生的婴儿一般，清清白白、无所负累地活在这个世界上。

4. 不察其德，非识人也。识而勿用，非大德矣。

【译文】

看不出人的品行，就算不上会识别人。能识人却不能任用他，就不能算德高望重。

【智慧解读】

孔子察人有三术：视其所以，观其所由，察其所安。

“视其所以”，是指要了解一个人，就要看他做事的目的和动机。动机决定手段，我们要看他做什么，更要看为什么这样做。如果我们仅被表面的现象所迷惑，我们对人的认识又有多少呢？

“观其所由”，就是看这个人的一贯的做法。君子也爱财，但君子和小人不同，小人可以偷，可以抢，可以夺，甚至杀人越货，君子却做不来，即使钱财如同身旁的鲜花随意采撷，他也要考虑是不是符合道义。有时候不应在乎一个人做什么、做多大、做多少，而要看他怎么做，官做得大，却是行贿得来的，钱赚得多，却是靠坑蒙拐骗得来，那也为人所不齿。

“察其所安”，就是说看他安于什么，也就是平常的涵养。比如心浮气躁，比如急功近利，比如眼热心跳，比如一有成绩就自视甚高、目中无人，比如一遇挫折就垂头丧气、怨天尤人，等等，都是没有涵养的。这样的人，做事有可能半途而废，交友有可能背信弃义。只有踏实安静的人才能有所成就，而不被身外之物所包裹。只有这样的人才有可能厚积薄发。

总的来说这三点识人方法，都是在教人们不要以貌取人，而应透过外貌行为的表象，看清此人内心的本质。

俗话说，江山易改，本性难移。一个人的个性可以表现在他生活的各个方面，想伪装是很难的。唐朝有一个叫吕元膺的人，就是在生活中的一件小事上，看穿了他的一个门客的人品。

吕元膺任东都洛阳留守时，有和门客下棋的习惯。有一次，吕元膺和一名下级官吏一边下棋，一边批阅公文。这小官为了获胜，就趁吕元膺改公文的时候偷换了一枚棋子。等吕元膺回过神来再下棋时，棋局已变，而且自己是必输无疑。其实，小官的这个小动作已被吕元膺看在眼里。只是为了顾全对方的面子，吕元膺不好当即拆穿他，就做出甘拜下风的样子结束了这盘棋。

第二天，吕元膺又把这个小官吏请到了自己的府上。小官吏本以为自己凭借一盘棋获得了吕元膺的赏识，表现得十分兴高采烈。不想吕元膺说了半天话，关于提拔一事却只字未提。正当小官吏心里打鼓时，吕元膺客客气气地对那小官吏说："我这儿机会有限，难免会影响你施展抱负，如果你想有更好的发展，还是另请高就吧。"说罢，他命人呈上已经准备好的礼物，亲自为他送行，让他离开了自己的辖地。当时很多人对他的做法很是不理解，但是无论别人怎样询问，吕元膺都只是顾左右而言他。

直到病危前夕，他嘱咐自己的儿孙时才道出真相，说："十多年前我在东都时，为了这么一枚棋子辞却了一个和我交往甚好的官吏，并且再也没有和他有过任何来往。说起来，他偷换一枚棋子本是小事一桩，但我却从中看到他的心术不正。后来果然不出我所料，这个人因贪赃枉法而丢掉了性命。别人误解我也好、说我无情也罢，我只是想让你们明白：为人处世、识人交友一定要认真对待，切不可被表象蛊惑。"说罢，他坦然地闭上双眼，溘然长逝。

吕元膺明察秋毫，识人于微，可谓明智。判断一个人的思想境界如何并不能只听这个人的一面之词，也不一定要等到这个人犯了什么大错之后才有顿悟，透过很多微小的细节就可以定夺了。

虽然说"恶之性不能易，如水之不能燥，火之不能温"，但是在如今这个时代，与不同的人打交道的时候用不同的策略，循循善诱，就可以掌握识人交友这一门学问。比如，如果我们想判断一个人是否诚实，那就试着让他处理一件和钱财有关的事情；如果我们想试探自己的朋友是否忠诚，那就给他些利益，让他做选择；看一个人如何应对等待，就可以判断一个人的定力如何；感受一个人的气场，就能判断一个人的善恶……这样做确实能帮助我们看透人心，在交际中掌握主动权，观其言行而知其本质，防止我们在生活中遇到被欺骗利用的情况，从而做出最佳的应对之举。

所以，路遥知马力，日久见人心。我们在为人处世中、在工作中必须善于识别人才。识别人才，只是迈出第一步。如何让人才成长而不是荒废、流失，让人才得以致用，这才是关键。为此，曾国藩曾上过一篇三千字的奏章，他详细地向当时的咸丰皇帝讲述了自己的人才思想。

曾国藩先就向皇帝做了关于人才的总结性陈述：当今社会其实并不缺人才，而如何培育人才、激励人才，这实际是需要最高领导者的巧妙运作的。曾国藩认为，此中有三点机制：转移、培养、考察。三者环环重要，且缺一不可。

关于转移人才，曾国藩先是陈述了大清历代社会风气给读书人、官员带来的正面影响与负面影响。其中，他指出了京官办公互相推诿、不肯担当，又不顾大局的通病，而地方官办事，又是习惯敷衍，报喜不报忧。这些苟且偷安的官员注定担当不了国家大事。一旦出事，也只能像先皇（道光帝）时期一样，破格提用人才。针对这些旧疾，曾国藩坦言：积重难返，一时半会儿是扭转不了了。若帝王一下子要他们励精图治，恐怕还会逼得有些人从中取巧，起到相反的作用。为此，曾国藩建议，不如依着诸葛亮的至理名言“才须学，学须识”，让这些人去求取学问吧。但他同时强调，要想人才好学，皇帝自己先要起带头作用：当君臣之间，人才之间都充斥了这种浓烈的好学氛围，十年之后，人才也就在潜移默化中变得更明理、知礼、知荣辱、知担当。这便是实现了人才的转移之道。

关于如何培养人才，曾国藩先是从高级官员们不常出入的“八大衙门”切入。他说这里面人员众多，“潜力股”也多，却很容易被埋没。培养这些人才该是各衙门一把手、二把手的分内事。对这些把关人如何培养人才，曾国藩也给出了几个方法：教诲、甄别、保举、超升。具体操作表现在：适时表扬部署，让他们知道感激；适时批评部署，让他们知道悔改；慧眼识别团队中的“害群之马”，以致其不影响其他“良马”；勇于向朝廷推荐有能力的中下级官员，让人才坐到相应的位子上；对于能力超强的人才，更要全力保举，使其受到重用。

至于考察人才，曾国藩提出，若还按照过去的方式同时“询问事务、考察言论”，已经无法看出人才优劣了。他说，还是侧重言论考察来得实在。但言论考察，并不代表着就是与皇帝面对面地应答，因为那很可能导致官员紧张，不敢放开言论。最好的方式应该是通过奏折中的言论进行考察。臣子们通过奏折，敢于直指上级官员的缺点，甚至对皇帝的不足之处也直言不讳，这样的人，就是利国利民的人才。这样的风气，更是有助于人才长成的风气。

当然，曾国藩并没有大而空地讲理论，而且附加了很多具体的操作方案与人事规划。而含金量如此之重的一份奏折，也得到了皇帝的拍手称赞。至此，曾国藩为国家的人才机构建设又立一功。

“人才以培养而出，器识以磨砺而成”，这是曾国藩的人才观，天下很少有现成可用的人才，养才很重要。洋洋洒洒的上奏中，曾国藩也给出了养才的全套方案：转移、培养、考察。

曾国藩指出，育才者要像“润物细无声”一样，从思想、从灵魂开始深入地影响人才，以行动带动人才，最终收获一批批全面可用的人才。同时，人才考察者更要持一双敏锐的眼睛，善于从一些庸人中挑出人才，并有破格提拔人才的精神和举动……应该说，这样的思想方案都有很大的前瞻性和可操作性。

于为官之人来说，培养人才就是高利投资，因为每一个人才，都可能是自己和团队日后的“福星”“救星”。当众多人才一起成长，育才者就有了一片可依靠、可取伐、可乘凉、可避难的森林宝藏。也正因如此，培养人才急躁不得、盲目不得、粗糙不得，也懈怠不得。